자폐스펙트럼 장애학생을 위한 상황이야기

나의 가정과 지역사회 적응이야기

저자 | **박현옥**

자폐스펙트럼 장애학생을 위한 상황이야기

나의 가정과 지역사회 적응이야기

본서는 파라다이스복지재단 2003년도 학술연구비지원을 통해 진행된
"장애학생과 일반학생의 사회적 상호작용 증진을 위한 사회적 이야기 중재 프로그램 개발연구(책임연구자 박현옥)"의
결과를 토대로 구성되었습니다.

지은이_박현옥 이화여자대학교 특수교육학과를 졸업하고 동대학원에서 석 · 박사를 취득하였다.
이화여자대학교 발달장애아동센터 연구원으로 10여 년간 교육현장에서 근무하였으며,
현재 백석대학교 유아특수교육과 교수로 재직하고 있다.

초판 발행 : 2020년 12월 7일
발행처 : 재단법인 파라다이스복지재단
발행인 : 최윤정
주소 : 서울특별시 중구 동호로 268 파라다이스 빌딩 3층
전화 : 1544-2311
팩스 : 02-2273-2658
가격 : 24,000원
ISBN : 978-89-90604-74-3
온라인 판매 : 아이소리몰 아이소리 https://isorimall.com

PARADISE
복지재단

파라다이스 복지재단은 장애인을 비롯한 소외된 이웃에게 따뜻한 사랑을 나누고 더불어 살아가는 희망을 전합니다

파라다이스복지재단은 기업 이윤의 사회 환원을 통해 더불어 살아가는 사회를 구현하고 행복한 미래를 창조하기 위하여 설립된 공익재단입니다

장애인을 비롯한 소외된 이웃들의 어려움을 함께 나누고 보다 당당하게 사회구성원으로서 품격있게 살아갈 수 있도록 그들의 삶의 질 향상을 위해 힘을 쏟고 있습니다

특히 복지 현장의 장애인식개선 교육, 문화예술 복지 프로그램 운영, 현장지원 등 다양한 사업들을 통하여 장애에 대한 올바른 인식과 통합사회를 위한 환경을 조성하고자 일관된 노력을 하고 있습니다.

앞으로도 파라다이스복지재단은 우리 사회 구성원 모두가 행복한 사회를 만들기 위해 소외된 이웃의 동반자로서 창의적 서비스를 지속적으로 제공하는데 최선을 다하겠습니다.

저자서문

「나의 가정과 지역사회 적응이야기 : 자폐스펙트럼 장애학생을 위한 상황이야기」 개발을 끝내고 이를 출간할 수 있게 되어 참으로 감사하고 즐겁게 한 해를 마무리하고 있다.

지난 2004년에 출간한 「나의 학교이야기」는 자폐스펙트럼 장애학생의 학교생활 적응을 지원하기 위해 개발한 상황이야기이다. 이 책은 ASD 학생이 가정과 지역사회 생활에서 마주치는 여러 가지 어려운 상황에 대한 부모와 교사의 적합한 이해와 적절한 지원방법을 찾고자 개발한 상황이야기 이다.

모든 학생은 학교뿐만 아니라 가정과 지역사회의 구성원이기에 학교에서의 적응과 가정과 지역사회에서의 적응은 발달과정에서 서로 밀접하게 연관되어 있다. 오랜 시간을 자녀와 함께 해야 하는 가족은 ASD 학생의 특별한 행동을 이해하고 적절히 반응하는 데 많은 어려움을 겪고 있다. 더욱이 COVID-19로 집에서 생활하는 시간이 더욱 길어진 요즈음 상황에서 ASD 학생의 가정과 지역사회 적응은 학생 개인뿐만 아니라 가족 모두의 삶의 질에 영향을 미치는 중요한 요소로 더욱 부각 되고 있다.

장기간에 걸친 문헌연구와 설문조사를 통해 가정과 지역사회 적응을 위한 상황이야기의 구성 목록을 개발하였으며, 부모와 현장 전문가의 도움으로 가정과 지역사회 내에서 발생할 수 있는 다양한 상황들에 대하여 구체적이고 실제적인 이야기를 담고 있다. 또한 주제별로, 상황별로 분류번호를 부여함으로써 가정과 사회의 교육현장에서 개별아동들에게 적합한 내용들을 선정하여 활용할 수 있도록 하였다.

제 1부 '가정과 가족'은 가정에서 가족들과 생활하기 위해 필요한 사회적 기술을 중심으로 상황이야기를 개발하였는데 '특별한 날', '나의 하루', '나의 집'의 세 가지 영역과 13가지 세부 영역으로 구성하였다.

제 2부 '이웃과 지역사회'는 지역사회 적응을 위한 상황이야기로서, '우리 동네', '교통수단과 새로운 장소'의 두 가지 영역과 8가지 세부 영역으로 구성하였다.

이 책은 다음과 같은 측면에서 활용의 효과를 기대한다.

첫째, 이 책에 포함된 각각의 이야기를 개발하기 위하여 국내외 문헌 연구를 하였으며, 부모님과 교사들의 의견을 수렴하였다. 이를 위해 학부모 20명과 교육 및 치료 경험이 있는 전문가 20명을 대상으로 반구조화된 개방형 질문지로 의견을 수집하였으며 수집된 자료에 근거하여 가정과 지역사회 적응을 위해 필요한 상황은 어떤 상황인지, 구체적인 어려움은 무엇인지를 파악하였다.

둘째, 국내 상황에 적합한 이야기로 구성하였다. 상황이야기는 국외에서 먼저 소개되어 국내에 도입된 지원 방법이다. 그러므로 우리 상황에 적합한 이야기를 개발할 필요가 있었으며, 부모님과 현장 전문가들의 의견을 수렴하여 개발한 이 책의 내용이 우리나라 교육과 치료 현장에서 매우 유용하게 사용될 수 있을 것으로 기대한다.

셋째, 상황이야기는 글과 그림으로 구성되어있는 시각적 지원 자료이다. ASD 학생은 시각적 측면에서 강점이 있어 활용의 효과가 높을 것으로 기대한다.

넷째, 상황이야기(Social narratives)는 국내외 여러 연구를 통해 '효과가 입증된 중재 방법(Evidence Based Practice)'이다. 그러므로 ASD 학생과 함께 하는 교사와 치료자, 그리고 부모는 이 책을 토대로 각 아동에게 적합한 교육을 진행할 수 있을 것으로 기대한다.

다섯째, 이 책은 가정과 지역사회에서 일어나는 복잡하고 예기치 못한 특별한 상황을 '견뎌야' 하는 많은 학생들에게 보다 실질적인 도움을 줄 수 있을 것이다. 때로는 부모님과 선생님들이 우리 학생들이 보내는 특별한 의사소통 사인을 문제 행동으로 오인하는 경우가 있는데, 이 자료를 통해서 자녀와 학생들의 특별한 행동이 복잡한 여러 상황을 이해하는 데 나름대로 어려움이 있기 때문이라는 점을 이해하게 되고, 사회통합에 필요한 적절한 행동을 할 수 있도록 안내할 것으로 기대한다.

이번 상황이야기를 제작하는 과정에서 파라다이스 복지재단의 지원과 도움이 있었다. 재단의 지원을 받아 기초 자료를 수집하였으며, 수집된 자료에 근거하여 우리 ASD 학생들이 어려움을 겪는 상황을 확인하였고 파악된 상황별로 이야기를 개발할 수 있었다. 오랜 시간 동안 상황이야기 출간을 위해 수고하시고 적극 지원해 주신 파라다이스 복지재단의 모든 직원분들께 감사드린다. 특별히 기초 자료를 수집하고 이야기를 구성하는 과정에서 많은 도움을 주었던 이효정, 박하늘, 정은영 선생님께도 이 자리를 빌어 감사의 마음을 전한다.

자료를 수집하는 과정에서 만난 여러 현장 전문가들과 학부모님들의 참여와 수고에 감사드리며 이 책으로 교육과 치료 현장, 그리고 가정에서 몸과 마음을 다해 헌신하시는 모든 분께도 진심 어린 감사의 마음을 전한다.

2020년 12월 **박 현 옥**

1부 가정과 가족

004 · 서문

010 · 자폐스펙트럼 장애학생의 가정과 지역사회 적응을 위한 상황 이야기

1. 특별한 날

1-1. 명절

044 · 명절입니다.

046 · 많은 친척을 만납니다.

048 · 설날 세배를 합니다.

050 · 설날에는 이런 음식을 먹습니다.

052 · 추석 : 차례를 지냅니다.

054 · 추석에는 이런 음식을 먹습니다.

056 · 돌아가신 분을 기억하는 날입니다.

058 · 크리스마스입니다.

060 · 국경일과 공휴일입니다.

1-2. 생일

062 · 내 생일날 가족들과 함께합니다.

064 · 내 생일날 친구들을 초대합니다.

066 · 친구 생일에 초대받았습니다.

068 · 생일 케익과 생일 왕관

1-3. 집에 있는 날

070 · 방학입니다.

072 · 주말에는 학교에 가지 않습니다.

074 · 집에서 이런 일을 할 수 있습니다.

076 · 나 혼자 집에 있는 날입니다.

1-4. 이사

078 · 이사하는 날입니다.

1-5. 날씨와 계절

080 · 날씨와 계절에 맞는 옷을 입어요.

082 · 비 오는 날입니다.

084 · 눈 오는 날입니다.

086 · 천둥과 번개 치는 날입니다.

2. 나의 하루

1-6. 나의 하루 : 아침

088 · 아침에 일어나 이런 일을 합니다.

090 · 아침 식사를 합니다.

092 · 등교 준비를 합니다.

094 · 학교에 가는 중입니다.

1-7. 나의 하루 : 오후

096 · 학교를 마치고 집으로 돌아오는 길입니다.

098 · 학교에서 집으로 돌아온 후에는 이렇게 합니다.

100 · 알림장을 확인합니다.

102 · 학교 숙제를 합니다.

104 · 과외 활동을 합니다.

3. 나의 집

1-8. 나의 하루 : 저녁

106 · 온가족이 저녁 식사를 합니다.

108 · 가족들과 즐거웠던 하루 이야기를 합니다.

110 · 가족들과 텔레비전을 봅니다.

1-9. 나의 하루 : 밤

112 · 내일 학교에 가져가야 할 준비물을 확인합니다.

114 · 일기를 씁니다.

116 · 몸을 씻고 잠옷으로 옷을 갈아입습니다.

118 · 혼자 잘 수 있습니다.

1-10. 전화

120 · 전화를 잘 받을 수 있습니다.

122 · 내 친구와 전화를 합니다.

124 · 엄마 아빠께 전화 드립니다.

126 · 선생님께 전화드립니다.

1-11. 이웃의 방문

128 · 누구인지 확인 후 문을 열어 줍니다.

130 · 이웃 어른이 우리 집에 오셨습니다.

132 · 집에 손님이 오셨습니다.

134 · 우리 집에서 어른들이 모여 회의를 합니다.

136 · 내 친구가 놀러왔습니다.

1-12. 우리집 거실과 부엌

138 · 부엌에서 사용하는 도구를 이용합니다.

140 · 가족들과 식사를 합니다.

142 · 식사 후에는 이렇게 합니다.

144 · 모든 가족이 편안하고 즐겁게 지냅니다.

1-13. 우리집 목욕탕

146 · 세수와 양치질을 합니다.

148 · 샤워를 할 때는 이렇게 합니다.

1-14. 나의 방

150 · 내 방을 설명합니다.

152 · 공부를 합니다.

154 · 놀이를 합니다.

2부 이웃과 지역사회

1. 우리 동네

2-1. 이웃

158 · 이웃 어른들께 인사를 합니다.
160 · 친구 집에 놀러가려면 부모님께 허락을 받아야 합니다.
162 · 친구 집에 놀러갔습니다.
164 · 엄마 심부름을 합니다.
166 · 택배가 왔습니다.
168 · 엘리베이터를 이용합니다.
170 · 복도와 계단을 이용합니다.
172 · 주차장을 지날 때는 차를 조심합니다.

2-2. 내가 이용하는 가게

174 · 문구점에서 필요한 학용품을 구입합니다.
176 · 서점에서 책을 구입합니다
178 · 부모님 심부름으로 가게에서 물건을 삽니다.
180 · 햄버거를 주문합니다.
182 · 머리카락을 자릅니다.
184 · 대중목욕탕을 이용합니다.

2-3. 공공시설

186 · 도서관을 이용합니다.
188 · 공중화장실을 찾아 이용할 수 있습니다.
190 · 공중화장실을 이용할 때는 이렇게 합니다.
192 · 에스컬레이터를 이용합니다.

2-4. 병원

194 · 병원에 갑니다.
196 · 여러 가지 병원이 있습니다.
198 · 주사를 맞아요.
200 · 치과에 갑니다.

2. 교통수단과 새로운 장소

2-5. 교통수단과 교통 규칙

202 · 버스를 이용합니다.
204 · 지하철을 탑니다.
206 · 학교 버스를 탑니다.
208 · 학교 버스 안에서는 이렇게 지냅니다.
210 · 횡단보도를 건넙니다.

2-6. 놀이공원

212 · 재미있는 놀이기구를 탑니다.
214 · 놀이기구를 탈 때는 안전장치를 합니다.
216 · 놀이기구를 타기 위해 줄을 서서 기다립니다.

2-7. 관람

218 · 영화를 봅니다.
220 · 운동경기를 관람합니다.

2-8. 가족여행

222 · 가족들과 여행을 갑니다.

자폐스펙트럼 장애학생의

가정과 지역사회 적응을 위한 상황 이야기

자폐스펙트럼 장애학생의 가정과 지역사회 적응을 위한 상황 이야기

1. 상황이야기(social Narratives)란 무엇인가?

상황이야기는 복잡한 사회적 상황에서 어떤 일이 일어나고 있는지, 다른 사람은 어떻게 생각하는지, 그러한 상황에서 할 수 있는 적절한 행동은 무엇인지에 대하여 체계적이고 이해할 수 있는 언어로 설명하는 이야기이다(방명애 외, 2018; 박현옥, 2020; Gray, 2015).

상황이야기는 국내외 여러 연구에 의해 중재 효과가 입증(Evidence Based Practice)되었다. 그러므로 자폐스펙트럼 장애학생과 함께 하는 전문가와 학부모는 개별 학생에게 적합하게 이야기를 활용할 경우 다른 사람의 마음을 이해하고 사회적으로 적합한 행동을 향상 시킬 수 있을 것이다.

1) 「자폐스펙트럼 장애학생의 가정과 지역사회 적응을 위한 상황이야기」의 특징

첫째, 이 책에 포함된 각각의 이야기를 개발하기 위하여 부모님과 교사들의 의견을 수렴하였다. 이를 위해 학부모 20명과 교육 및 치료 경험이 있는 전문가 20명을 대상으로 반구조화된 개방형 질문지로 의견을 수집하였으며 수집된 자료에 근거하여 가정과 지역사회 적응을 위해 필요한 상황은 어떤 상황인지, 구체적인 어려움은 무엇인지를 파악하였다. 이에 따라 국내 현장에 적합한 이야기를 개발할 수 있는 근거를 마련하였다.

둘째, 국내 상황에 적합한 이야기로 구성되었다. 상황이야기는 국외에서 먼저 소개되어 국내에 도입된 지원 방법이다. 그러므로 국내 상황에 적합한 이야기를 개발할 필요가 있었으며, 이러한 필요성에 근거하여 부모님과 전문가들의 의견을 수렴하였고 그에 따라 **국내 상황에 적합한 이야기로 구성하였다.** 그러므로 우리나라 교육과 치료 현장에서 매우 유용하게 사용할 수 있을 것이다.

셋째, 상황이야기는 자폐스펙트럼 장애학생의 주요 강점인 시각적 지원 자료이다. 상황이야기는 글과 그림으로 구성되었다는 점에서 시각적 지원 자료이며, 그러므로 자폐스펙트럼 장애학생에게 매우 효과적인 중재 방법이 될 수 있을 것이다.

넷째, 상황이야기(Social narratives)는 국내외 여러 연구를 통해 **'효과가 입증된 중재 방법(Evidence Based Practice)'이다.** 그러므로 자폐스펙트럼 장애학생과 함께 하는 교사와 치료자, 그리고 부모는 이 자료를 토대로 각 아동에게 적합하게 활용할 수 있을 것으로 기대한다.

다섯째, 이 책은 가정과 지역사회에서 일어나는 복잡하고 예기치 못한 특별한 상황을 구체적으로 안내하여 **사회적 상황에 대한 예측 능력을 향상시킬 수 있도록 하였다.**

여섯째, 특정한 사회적 상황에서 다른 사람들의 생각과 감정을 구체적으로 설명하였다. 그러므로 **다른 사람에 대한 이해 능력을 향상시킬 수 있다.**

일곱째, 특정한 사회적 상황에서 어떻게 행동해야 하는지를 구체적으로 안내하였다. 어른들이 '--하지마'라고 이야기 하는 경향이 있는데 그러한 표현은 적절하지도 않을 뿐 아니라 어떻게 해야 하는지에 대한 안내가 없으므로 기대되는 행동을 충분히 설명하지 못한다. 상황이야기에서는 긍정적이고 체계적인 언어로 기대되는 행동을 명시적으로 설명하여 무엇을 어떻게 해야 하는지를 안내하였다.

2) 상황이야기의 중재 효과

상황이야기는 국내외 여러 연구에 의해 매우 효과가 있는 중재 방법으로 알려졌다. 상황이야기의 중재 효과는 다음과 같다.

첫째, 사회적 상황을 이해할 수 있다. 예를 들어, '이사', '생일파티와 같은 특별한 가족 모임', '천둥이나 번개' 등과 같은 특별한 상황을 만났을 때 자폐스펙트럼 장애학생의 경우 이러한 상황을 이해하는데 많은 어려움을 겪게 된다. 그러므로 이처럼 예기치 않은 특별한 상황이나 일상적으로 접하는 일이라 하더라도 그 일이 무슨 일이지 이해하는데 어려움을 겪는다면 그러한 상황을 충분히 설명할 필요가 있다. 상황이야기는 이러한 상황을 구체적으로 설명하므로 지금 어떠한 일이 일어나고 있는지를 이해하도록 할 수 있다.

둘째, 다른 사람의 생각과 감정을 이해할 수 있다. 상황이야기에는 다른 사람의 생각이나 감정을 명시적으로 설명하는 내용을 포함하여 다른 사람의 생각과 감정을 이해하도록 지원한다.

셋째, 문제행동을 감소시키고 바람직한 행동을 향상시킬 수 있다. 상황이야기는 긍정적 행동지원의 선행사건 조절에 해당한다고도 볼 수 있다. 즉, 사회적 상황에 대한 이해를 향상시키고 그 상황에서 어떤 행동을 해야 하는지를 명시적으로 안내하므로 문제 행동을 예방하고 바람직한 행동을 할 수 있도록 안내한다.

넷째, 전반적인 사회의사소통 능력을 향상시킬 수 있다. 상황이야기는 사회적 상황에서 어떻게 대응해야 하는지를 구체적으로 제시하므로 사회적 능력과 의사소통 능력을 향상시키는데 도움을 줄 수 있다.

다섯째, 사회적 예측 능력을 향상시킨다. 앞서 설명한 바와 같이 사회적 상황을 설명하고 어떤 일이 일어나고 있으며, 다른 사람은 어떻게 생각하는지, 그러므로 나는 어떻게 해야 하는지를 명시적으로 안내하므로 사회적 상황을 이해하고 그러한 상황에 대한 예측능력이 향상될 수 있다.

2. 자폐스펙트럼 장애학생에게 상황이야기가 필요하고 효과적인 이유는 무엇인가?

상황이야기는 다음과 같은 측면에서 자폐스펙트럼 장애학생에게 필요한 중재 방법이면서 효과적이다.

- **상황이야기는 자폐스펙트럼 장애학생의 강점을 기반으로 한다.**

  상황이야기는 글과 그림으로 구성되었다는 점에서 시각적 지원 자료이다. 자폐스펙트럼 장애학생은 시각적 정보 처리 능력이 비교적 좋은 것으로 알려져 있으며, 따라서 시각적 지원은 자폐스펙트럼 장애학생에게 매우 유용하고 효과적인 중재 방법이다. 결과적으로 상황이야기는 자폐스펙트럼 장애학생의 강점인 시각적 정보를 활용하고 있다는 점에서 강점 기반의 중재 방법이라 할 수 있다.

- **자폐스펙트럼 장애학생의 인지적 특성을 반영한 방법이다.**

  자폐스펙트럼 장애학생은 다른 사람의 마음을 이해하는데 어려움이 있으며, 다양한 정보를 조직하고 상황에 적합하게 활용하는데 어려움이 있다. 즉 세부중심의

인지처리자인 동시에 중앙응집능력에 어려움이 있으며, 실행기능에 어려움이 있다. 상황이야기는 다른 사람의 생각과 정서를 구체적으로 안내하며, 어떻게 행동해야 하는지를 설명하므로 일종의 '실행비서'로 기능할 수도 있다.

- **자폐스펙트럼 장애학생의 어려움을 지원한다.**
  예를 들어, 다양한 사람들과 상호작용하는 동안 알려주지 않는 행간에 흐르는 의미를 이해할 수 있도록 지원하거나 같은 말이라 하더라도 상황에 따라 다른 의미로 사용되는 것 등과 같은 비구어적 표현을 이해할 수 있도록 지원한다.

3. 「자폐스펙트럼 장애학생의 지역사회 적응을 위한 상황이야기」 개발의 필요성과 목적

가정과 지역사회는 학생들이 가장 많은 시간을 보내는 공간이다.

가정은 모든 사람들이 가장 최초로 경험하는 사회적 공간이다. 그러므로 영아기부터 유아기를 거쳐 일상생활을 하는 동안 가정에서 일어나는 여러 가지 사회적 상황에 대해서 대부분의 학생들은 특별한 어려움 없이 생활하게 된다. 그러나 자폐스펙트럼 장애학생의 경우, 가정 내에서 일어나는 단순한 상황에서도 간혹 어려움을 경험할 수 있다. 예를 들어, 설날이나 추석, 크리스마스 등과 같이 특별한 날과 특별한 날에 만나게 되는 친지와 여러 다양한 행사를 이해하는 것은 자폐성 장애 학생에게 커다란 도전이 될 수 있다. 특별히 낯선 친지들이 모여 함께 웃고 떠드는 일은 일반 학생에게는 즐거움이 될 수 있지만 자폐스펙트럼 장애학생에게는 감각적으로 견디기 힘든 소란이 될 수도 있으며, 왜 그들이 우리집에 모여있으며, 왜 그들이 평소에 먹지 않던 음식을 먹는지를 이해하지 못해 혼란스러울 수 있다. 이러한 혼란스러운 감정과 견디기 힘든 감각적 경험으로 인해 때로는 사회적으로 적절하지 않은 행동을 보일 수 있다.

이처럼 적절하지 않을 행동을 보이는 경우 가족과 친지들 역시 당황스러워할 것이다. 이에 따라 가정에서 경험하는 일상적인 일과 및 특별한 행사와 특별한 날 등과 같은 다양한 상황에 대해 구체적이고 명시적으로 설명하여 지금 어떤 일이 일어나고 있는지를 알 수 있도록 지원해야 한다.

또한 지역 사회는 가정 보다 더 복잡하고 더 많은 사람을 만나게 되며 늘 새로운 상활에 직면하게 되는 때로는 익숙하지만 대부분 어렵고 당황스러운 환경이다. 지역사회에서 새롭게 경험하는 음식점과 음식점의 여러 다양한 음식, 그리고 새롭게 만나는 이웃 사람들, 새로운 장소 등등은 모두가 낯설고 어려운 환경이다. 따라서 자폐스펙트럼 장애학생이 이러한 환경에서 새롭게 만나는 사람들을 이해하고 적절한 사회적 행동을 할 수 있도록 구체적인 언어로 설명해줄 필요가 있다.

본 책에 제시된 상황이야기 자료는 이처럼 혼란스러운 가정과 지역사회에서 일어나는 여러 가지 일을 체계적이고 구체적으로 설명함과 동시에 다른 사람들은 어떻게 느끼는지, 나는 이럴 때 어떻게 행동해야 하는지를 제시하였다. 이를 통해 자폐스펙트럼 장애학생의 가정과 지역사회 적응을 지원하고자 하였다.

가정과 지역사회 적응을 위한 상황이야기도 학교 적응을 위한 상황이야기와 같이 글자와 그림을 활용하여 사회적 적응을 위해'시각적 지원'을 활용하였으며, 이야기 내용을 읽고 바람직한 행동을 인지적으로 내면화하여 사회적응을 지원하도록 하였다.

이 책의 목적은 다음과 같다.

첫째, 가정과 지역사회 내에서 발생하는 문제 행동을 예방한다.
둘째, 사회적 상황에 대한 예측 능력이 향상될 수 있도록 지원한다.
셋째, 다른 사람의 생각과 감정을 이해하도록 안내한다.
넷째, 긍정적인 사회적 행동을 할 수 있도록 안내한다.

4. 「자폐스펙트럼 장애학생의 가정과 지역사회적응을 위한 상황이야기」 개발 절차와 방법

가정과 지역사회 적응을 위한 상황이야기는 다음과 같은 절차로 개발되었다.

〈표 3〉 개발절차 및 방법

기초연구	선행연구 분석
↓	↓
설문개발	설문 기초 문항 구성
	내용타당도 검토
	설문제작
↓	↓
자료수집 및 분석	자료 수집 및 분석 설문대상 : 학부모, 특수교사, 언어치료사, 사회복지사 40명에게 개방형 설문 조사 실시함
↓	↓
상황 분석	상황이야기 적용이 필요한 상황 구성
↓	↓
상황이야기 개발	제 1부. 가정과 가족
	제 2부. 이웃과 지역사회
↓	↓
내용타당도 검토	특수교육전문가, 일반교사, 특수교사, 언어치료사, 학부모로 구성된 검토진에 의해 검토
↓	↓
최종 프로그램 완성	최종 프로그램 완성

1) 선행연구 분석과 설문개발

본 책에 수록된 상황이야기는 자폐스펙트럼 장애학생의 가정과 지역사회 적응을 지원하기 위해 개발되었다. 따라서 자료개발을 위해 먼저 선행연구를 분석하여 이론적 근거를 마련하였다.

그리고 가정과 지역사회에서 실제로 필요한 이야기를 개발하기 위해 다양한 교육 상황에 있는 교육전문가와 학부모 40명을 대상으로 반구조화된 설문조사를 실시하였다.

2) 설문조사 및 결과 분석

본 자료 개발을 위한 설문은 일반교사와 특수교사, 언어치료사를 대상으로 설문조사를 실시하였다. 본 설문은 가정과 지역사회 적응에 필요한 상황이야기를 개발하기 위하여 실행된 것이므로 이 상황에서 필요한 바람직한 행동과 자폐스펙트럼 장애학생이 보이는 문제 상황에 대한 자료를 수집하였다. 수집된 자료는 문항별로 분석하여 응답 빈도가 높은 내용을 선정하였다.

설문조사를 통해 분석된 결과는 다음에 제시된 바와 같다.

(1) 가정에서 가족과 상호작용을 위해 필요한 상황과 기대되는 행동

가정에서 가족과 상호작용을 위해 필요한 상황과 기대되는 행동			
상황	세부사항	기대되는 행동	
연간특정 상황목록	**명절(설,추석)**	· 명절의 의미알기 · 세배하기 · 차례지내기	· 명절 음식과 명절 음식 먹기 · 사촌형제들과 놀이에 참여하기

가정에서 가족과 상호작용을 위해 필요한 상황과 기대되는 행동		
상황	세부사항	기대되는 행동
연간특정 상황목록	명절(설,추석)	· 친척이나 이웃에게 인사하기
	크리스마스	· 성탄절에는(크리스마스 트리, 산타할아버지, 선물) · 크리스마스 트리 장식하고 구경하기 · 선물 주고 받기 · 성탄 예배보기 · 친척들과 만나기
	방학	· 방학(규칙적인 생활, 집안일 스스로 하기, 일기 쓰기 등) · 방학숙제 · 가족여행
	국경일과 공휴일	· 국경일과 공휴일 이해하기(태극기 달기, 걷기)
	생일과 생일파티	· 생일파티(생일을 맞이한 사람 축하해 주기 · 정성껏 선물 준비하기 · 생일 축하 노래하기 · 축하받으며 기뻐하기 · 음식 나누어 먹기
	결혼식	· 결혼식 · 결혼식에 참석할 때 지켜야 하는 예절 · 어른들에게 인사드리기 · 사진촬영하기

가정에서 가족과 상호작용을 위해 필요한 상황과 기대되는 행동		
상황	세부사항	기대되는 행동
연간특정 상황목록	제사 및 가족 모임	· 제사(만났을 때 가족이나 친지에게 인사하기, 바른 자세로 절하기, 제사 시 조용히 어른들 따라 행동하기) · 제사를 마치고 함께 식사하기
	계절의 변화	· 계절 · 계절이 바뀔 때 해야 하는 일(옷을 계절에 맞게 바꿔 입기, 맛있는 과일 먹기)
월 및 주간특정 상황목록	학교가지 않는 날	· 학교에 가지 않는 날
	일요일	· 교회(성당 혹은 절)에 가기 · 가족 나들이를 가기(나의 물건 챙기기 등) · 가족들과 놀이터에 가기(산책하기)
	토요일	· 장보기 · 가족들과 외식하기 · 가족들과 즐겁게 지내기
	아빠(엄마)가 출근하지 않는 날	· 부모님도 때로는 늦잠을 잘 수도 있다는 것 알기 · 부모님과 함께 음식을 만들기 · 배달 음식 주문하기
	엄마/아빠가 없는 날	· 부모님이 들어오실 때까지 동생과 함께 잘 지내기 · 초인종이 울리면 누구인지 확인 합니다. · 전화를 받을 수 있습니다. · 현관문을 잘 잠궈 놓습니다.

가정에서 가족과 상호작용을 위해 필요한 상황과 기대되는 행동		
상황	세부사항	기대되는 행동
월 및 주간특정 상황목록	이사	· 새로운 집으로 이사하기 · 새로운 집의 주소와 전화번호 알기 · 새로운 이웃들과도 인사하기 · 새로 이사한 동네에 어떤 것이 있는지 알아보기
	아끼던 물건이 없어졌을 때	· 아끼던 나의 물건이 없어졌을 때는 찾아보기 · 대체할 수 있는 다른 물건으로 사용하기 · 부모님이나 형제에게 물어보기 · 찾을 때 부모님 도움 구하기
하루 중 특정상황	아침에	· 학교 갈 준비하기(몸단장, 옷입기, 세수하기 등) · 아침 식사하기 · 가방 정리와 준비물 확인하기
	오후에	· 학교를 마친 후 바로 집으로 돌아오기 · 집으로 돌아온 후에는 몸을 씻고 옷 갈아입기 · 알림장을 확인하기 · 숙제 하기 · 과외 활동하기
	저녁에	· 저녁식사 · 가족들과 그 날 있었던 일들을 이야기 하기 · 가족들과 텔레비전 시청하기

가정에서 가족과 상호작용을 위해 필요한 상황과 기대되는 행동		
상황	세부사항	기대되는 행동
하루 중 특정상황	잠자기 전	· 학교에서 필요한 준비물을 챙겨 놓기 · 일기 쓰기 · 몸을 씻고 잠옷으로 갈아입기 · 혼자 잠들기
기타	전화받기	· 전화받기(중요한 내용 메모하여 전달하기) · 존칭 사용하기 · 저는 "00에요." 라고 말하기 · 상대방을 확인하고 이야기 듣기
	전화걸기	· 전화하고자 하는 곳에 전화하기 · 존칭 사용하기 · 중요한 전화번호(집전화번호, 부모님 번호) 기억하기 · 걸고자 하는 전화번호 확인하기
	초인종이 울릴 때	· 확인 후 문 열어주기 · 상대방이 누군지 인터폰으로 확인하기 · 아는 사람과 모르는 사람 구분하기 · 모르는 사람일 경우 문 열지 않기
	이웃이 놀러 왔을 때	· 인사하기 · 이야기 하시는 동안 기다리기 · 이웃집에 사는 친구가 놀러올 때 친구와 놀기

가정에서 가족과 상호작용을 위해 필요한 상황과 기대되는 행동		
상황	세부사항	기대되는 행동
기타	부엌에서	· 부엌에는 있는 물건의 용도 알기 · 냉장고에 있는 음식 확인하기 · 가족들과 식사하기 · 뜨거운 밥솥이나 뜨거운 물을 조심하기
	거실에서	· 거실에서 가족들과 지내기 · 텔레비전 시청하기
	목욕탕에서	· 목욕탕 사용하기
	내 방에서	· 내 방은 정리하기 · 내 방에서 공부하기 · 내 방에서 놀이하기

(2) 이웃과 지역사회 적응을 위한 상황과 기대되는 행동

이웃과 지역사회 적응을 위한 상황과 기대되는 행동		
상황	세부 상황	기대되는 행동
집주변	이웃 어른을 만났을 때	· 인사하기 · 어른의 질문에 간단히 대답하기

이웃과 지역사회 적응을 위한 상황과 기대되는 행동		
상황	세부 상황	기대되는 행동
집주변	이웃집에 놀러가기	· 문 앞에서 초인종 누르기 · 성인의 질문에 대답하기 · 이웃집 어른께 인사하기 · 음료수나 과자를 주시면 감사 인사하기
	이웃집에 심부름 가기	· 초인종 누르기 · 자신이 누구인지 알리기 · 어른께 인사하기
	우편함	· 우편함에 우편물이 있는지 확인하기 · 우편함에 있는 우편물 들고 들어가기 · 우편물을 부모님께 전달하기
아파트 주변	경비실과 경비아저씨	· 인사하기 · 필요한 도움 요청하기 · 인터폰 공손히 받기
	엘리베이터	· 자신이 가야할 층 벨 누르기 · 바르게 서있기 · 버튼을 누르고 다른 사람을 기다리기 · 엘리베이터 문이 닫힐 때 까지 기다리기
	계단/복도에서	· 한쪽 방향으로 앞사람과 부딪치지 않게 앞을 보면서 걷기 · 조용히 하기 · 이웃사람과 마주치면 인사하기

이웃과 지역사회 적응을 위한 상황과 기대되는 행동		
상황	**세부 상황**	**기대되는 행동**
아파트 주변	**주차장에서**	· 가기집 차 확인하기 · 주차장에서 차를 조심하기 · 주차할 때까지 기다리기
내가 이용하는 가게	**대형할인 마트**	· 부모님 돕기-4(카트꺼내기,장보기) · 조심히 카터 끌고다니기 · 순서를 지켜가며 계산하기
	서점	· 자신이 사야 할 책 스스로 선택하기 · 서점 내에서 책 읽고 제자리에 가져다 두기 · 책을 소중히 다루기 · 책 구입하기
	문구점 및 장난감가게	· 원하는 장난감을 고르기 · 고른 장난감이나 문구류를 계산대에 놓고 계산하기 · 조심하면서 구경하기
	집 앞의 가게	· 물건에 맞는 가격 지불하기 · 거스름돈 챙기기 · 이웃 만났을 때 인사하기
	옷가게/신발가게	· 옷을 입어보고 싶을 때 주인에게 미리 말씀드리기 · 가장 좋아하는 것 선택하기 · 뛰어다니거나 장난치지 않기

<table>
<tr><th colspan="3">이웃과 지역사회 적응을 위한 상황과 기대되는 행동</th></tr>
<tr><th>상황</th><th>세부 상황</th><th>기대되는 행동</th></tr>
<tr><td rowspan="2">내가 이용하는 가게</td><td>백화점</td><td>· 부모님과 같이 다니기
· 화장실 갈 때 보호자에게 미리 말하기
· 쇼핑 끝날 때까지 기다리기</td></tr>
<tr><td>주차장</td><td>· 엄마나 아빠의 손을 잡고 걷기
· 우리 차 앞에서 기다리기</td></tr>
<tr><td rowspan="4">병원</td><td>소아과</td><td>· 진찰이 끝날 때까지 잘 참고 기다림
· 차례를 지켜 진찰 시간을 기다릴 수 있음
· 치료 기구들을 겁내지 않고 진료받기</td></tr>
<tr><td>이비인후과</td><td>· 선생님의 지시에 맞게 행동하기
· 진찰의자에 바르게 누워있기
· 귀나 코를 치료할 때 참고 있기</td></tr>
<tr><td>치과</td><td>· 선생님의 지시에 맞게 행동하기
· 이를 치료하는 동안 잘 참기
· 양치 컵 이용하여 입 헹궈주기</td></tr>
<tr><td>안과</td><td>· 선생님의 지시에 맞게 행동하기
· 아픈 곳을 말하기</td></tr>
<tr><td>교통수단과 교통규칙</td><td>비행기타기</td><td>· 안전벨트 메기
· 음식이나 음료수 탁자 위에 놓기
· 비행기 탑승 시 질서 지키기</td></tr>
</table>

이웃과 지역사회 적응을 위한 상황과 기대되는 행동		
상황	세부 상황	기대되는 행동
교통수단과 교통규칙	비행기타기	· 기내에서 조용히 하기 · 기내에서 바르게 앉기
	시내버스 타기	· 목적지에 안전하게 내리기 · 버스번호 정확히 알고 타기 · 승하차시 질서 지키기 · 차비(카드)내고 이용하기
	지하철 이용하기	· 승하차시 질서 지키기 · 패스카드 이용하기 · 지하철방향 알고 타기 · 목적지에서 내리기
	기차타기	· 대기장소 알고 정확한 장소에서 대기 · 화장실 바르게 이용하기 · 긴 시간 참고 가기 · 정해진 좌석에 앉기
	자가용 이용하기	· 자리에 앉아서 안전벨트 매기 · 차가 멈추었을 때 차문을 열기
	다른 사람의 차 이용하기	· 실내에서 조용히 하기 · 자리에 앉아서 안전벨트 매기 · 하차 시 감사 인사하기

이웃과 지역사회 적응을 위한 상황과 기대되는 행동		
상황	세부 상황	기대되는 행동
교통수단과 교통규칙	학교 및 학원 버스 이용하기	· 승하차시 질서 지키기 · 버스가 멈출 때 까지 기다리기 · 스쿨버스 정차하는 곳에서 타기 · 인사드리기(기사님, 선생님,친구들) · 잘 앉아있기 · 안전벨트 메기
	길 건너기	· 신호등을 보거나 적절하게 손을 들고 이용하기 · 파란불 신호등에서 건너가기 · 이동시에 자동차의 움직임에 주의하기 · 급하게 뛰거나 느리게 걷지 않기

3) 상황이야기 개발

가정과 지역사회 적응을 위한 상황이야기 개발을 위해 문헌연구와 설문조사를 근거로 상황이야기의 구성 목록을 개발하였다. 가정과 지역사회 적응을 위한 상황이야기는 가정과 지역사회 내에서 발생할 수 있는 다양한 상황들에 대하여 구체적이고 실제적인 이야기들로 구성하였다.

가정과 지역사회 적응을 위한 상황이야기는 앞서 제시된 바와 같이 선행연구 및 기초자료 조사를 근거로 제 2부로 개발하였다.

제 1부는 가정에서 가족들과 생활하기 위해 필요한 사회적 기술을 중심으로 상황이야기를 개발하였다. 제 1부 '가정과 가족이야기'에서는 '특별한 날', '나의 하루', '나의 집'의 세 가지 영역과 13가지 세부 영역으로 구성되었다. 제 2부 '이웃과 지역사회'에서는 '우리 동네', '교통수단과 새로운 장소'의 두 가지 영역과 8가지 세부영

역으로 구성하였다.

이와 같은 두 가지 대 주제를 중심으로 1, 2,부로 구성된 이야기는 주제별로, 상황별로 분류번호를 부여하여 실제 교육현장에서 적용할 경우 개별아동들에게 적합한 내용들을 선정하여 활용할 수 있도록 하였다. 최종적으로 개발된 이야기의 주제와 상황은 〈표〉에 제시된 바와 같다.

〈표 9〉 가정과 지역사회 적응을 위한 상황이야기 주제와 상황

대주제	상황	하위 상황
제 1부. 가정과 가족	특별한 날	명절
		생일
		집에 있는 날
		이사하는 날
		날씨와 계절
	나의 하루	아침
		오후
		저녁
		밤
	나의 집	전화
		이웃의 방문
		우리집 거실과 부엌

대주제	상황	하위 상황
제 1부. 가정과 가족	나의 집	우리집 목욕탕
		나의 방
제 2부. 이웃과 지역사회	우리동네	이웃
		내가 이용하는 가제
		공공시설
		병원
	교통수단과 새로운 장소	교통수단과 교통규칙
		놀이공원
		관람
		가족 여행

이러한 주제와 상황에 근거하여 개발된 가정과 지역사회 적응을 위한 상황과 상황 이야기 제목은 다음과 같다.

주제	하위 상황	분류번호	제목
특별한 날	Ⅰ-1. 명절	1-1-1	명절입니다.
		1-1-2	많은 친척을 만납니다.
		1-1-3	설날 새배를 합니다.

주제	하위 상황	분류번호	제목
특별한 날	Ⅰ-1. 명절	1-1-4	설날에는 이런 음식을 먹습니다.
		1-1-5	추석 : 차례를 지냅니다.
		1-1-6	추석에는 이런 음식을 먹습니다.
		1-1-7	돌아가신 분을 기억하는 날입니다.
		1-1-8	크리스마스입니다.
		1-1-9	국경일과 공휴일입니다.
	1-2. 생일	1-2-1	내 생일날 가족들과 함께합니다.
		1-2-2	내 생일날 친구들을 초대합니다.
		1-2-3	친구 생일에 초대받았습니다.
		1-2-4	생일 케익과 생일 왕관
	1-3. 집에 있는 날	1-3-1	방학입니다.
		1-3-2	주말에는 학교에 가지 않습니다.
		1-3-3	집에서 이런 일을 할 수 있습니다.
		1-3-4	나 혼자 집에 있는 날입니다.
	1-4. 이사	1-4-1	이사하는 날입니다.
	1-5. 날씨와 계절	1-5-1	날씨와 계절에 맞는 옷을 입어요.
		1-5-2	비 오는 날입니다.

주제	하위 상황	분류번호	제목
특별한 날	1-5. 날씨와 계절	1-5-3	눈 오는 날입니다.
		1-5-4	천둥과 번개 치는 날입니다.
나의 하루	1-6. 나의 하루 : 아침	1-6-1	아침에 일어나 이런 일을 합니다.
		1-6-2	아침 식사를 합니다.
		1-6-3	등교 준비를 합니다.
		1-6-4	학교에 가는 중입니다.
	1-7. 나의 하루 : 오후	1-7-1	학교를 마치고 집으로 돌아오는 길입니다.
		1-7-2	학교에서 집으로 돌아온 후에는 이렇게 합니다.
		1-7-3	알림장을 확인합니다.
		1-7-4	학교 숙제를 합니다.
		1-7-5	과외 활동을 합니다.
	1-8. 나의 하루 : 저녁	1-8-1	온가족이 저녁 식사를 합니다.
		1-8-2	가족들과 즐거웠던 하루 이야기를 합니다.
		1-8-3	가족들과 텔레비전을 봅니다.
	1-9. 나의 하루 : 밤	1-9-1	내일 학교에 가져가야 할 준비물을 확인합니다.
		1-9-2	일기를 씁니다.

주제	하위 상황	분류번호	제목
나의 하루	1-9. 나의 하루 : 밤	1-9-3	몸을 씻고 잠옷으로 옷을 갈아입습니다.
		1-9-4	혼자 잘 수 있습니다.
나의 집	1-10. 전화	1-10-1	전화를 잘 받을 수 있습니다.
		1-10-2	내 친구와 전화를 합니다.
		1-10-3	엄마 아빠께 전화 드립니다.
		1-10-4	선생님께 전화드립니다.
	1-11. 이웃의 방문	1-11-1	누구인지 확인 후 문을 열어 줍니다.
		1-11-2	이웃 어른이 우리 집에 오셨습니다.
		1-11-3	집에 손님이 오셨습니다.
		1-11-4	우리 집에서 어른들이 모여 회의를 합니다.
		1-11-5	내 친구가 놀러왔습니다.
	1-12. 우리집 거실과 부엌	1-12-1	부엌에서 사용하는 도구를 이용합니다.
		1-12-2	가족들과 식사를 합니다.
		1-12-3	식사 후에는 이렇게 합니다.
		1-12-4	모든 가족이 편안하고 즐겁게 지냅니다.
	1-13. 우리집 목욕탕	1-13-1	세수와 양치질을 합니다.

주제	하위 상황	분류번호	제목
나의 집	1-13. 우리집 목욕탕	1-13-2	샤워를 할 때는 이렇게 합니다.
	1-14. 나의 방	1-14-1	내 방을 설명합니다.
		1-14-2	공부를 합니다.
		1-14-3	놀이를 합니다.

제 2부. 이웃과 지역사회

주제	하위 상황	분류번호	제목
우리 동네	II-1. 이웃	2-1-1	이웃 어른들께 인사를 합니다.
		2-1-2	친구 집에 놀러가려면 부모님께 허락을 받아야 합니다.
		2-1-3	친구 집에 놀러갔습니다.
		2-1-4	엄마 심부름을 합니다.
		2-1-5	택배가 왔습니다.
		2-1-6	엘리베이터를 이용합니다.
		2-1-7	복도와 계단을 이용합니다.
		2-1-8	주차장을 지날 때는 차를 조심합니다.

주제	하위 상황	분류번호	제목
우리 동네	II-2. 내가 이용하는 가게	2-2-1	문구점에서 필요한 학용품을 구입합니다.
		2-2-2	서점에서 책을 구입합니다
		2-2-3	부모님 심부름으로 가게에서 물건을 삽니다.
		2-2-4	햄버거를 주문합니다.
		2-2-5	머리카락을 자릅니다.
		2-2-6	대중목욕탕을 이용합니다.
	II-3. 공공시설	2-3-1	도서관을 이용합니다.
		2-3-2	공중화장실을 찾아 이용할 수 있습니다.
		2-3-3	공중화장실을 이용할 때는 이렇게 합니다.
		2-3-4	에스컬레이터를 이용합니다.
	II-4. 병원	2-4-1	병원에 갑니다.
		2-4-2	여러 가지 병원이 있습니다.
		2-4-3	주사를 맞아요.
		2-4-4	치과에 갑니다.
교통수단과 새로운 장소	II-5. 교통수단과 교통 규칙	2-5-1	버스를 이용합니다.
		2-5-2	지하철을 탑니다.

주제	하위 상황	분류번호	제목
교통수단과 새로운 장소	II-5. 교통수단과 교통 규칙	2-5-3	학교 버스를 탑니다.
		2-5-4	학교 버스 안에서는 이렇게 지냅니다.
		2-5-5	횡단보도를 건넙니다.
	II-6. 놀이공원	2-6-1	재미있는 놀이기구를 탑니다.
		2-6-2	놀이기구를 탈 때는 안전장치를 합니다.
		2-6-3	놀이기구를 타기 위해 줄을 서서 기다립니다.
	II-7. 관람	2-7-1	영화를 봅니다.
		2-7-2	운동경기를 관람합니다.
	II-8. 가족여행	2-8-1	가족들과 여행을 갑니다.

5. 상황이야기 적용 방법*

(1) 상황이야기 적용 대상은 누구인가?

상황이야기는 자폐스펙트럼 장애학생에게 효과적인 방법으로 알려졌으며 여러 연구에 의해 효과가 입증되었다. 그러나 발달지체 유아 및 지적 장애 학생을 포함한 많은 학생들에게 적용했을 경우에도 효과가 있는 것으로 알려졌다. 구체적으로 상황이야기의 적용대상은 다음과 같다(박현옥, 2020).

1. 대상 : 가정과 지역사회 적응에 어려움을 겪는 모든 학생
2. 연령 : 유아기부터 고등학교 학생 등 모든 연령에 적용 가능함.
3. 기타 유의사항 : 상황이야기는 다양한 장애 영역 및 다양한 연령에 적용가능하다. 그러나 이야기나 글자를 이해할 수 있을 정도의 인지 능력이 있을 경우 보다 효과적으로 활용할 수 있으며, 글자 이해 능력이 없는 경우 그림 자료 중심으로 제작하여 활용할 수 있다.
4. 상황이야기는 개별학생에게 적합한 형태로 수정해서 활용해야 한다.

(2) 상황이야기는 누구에 의해 개발될 수 있는가?

상황이야기는 적용대상자인 학생을 잘 알고 자주 만나는 부모와 교사, 치료자에 의해 개발되는 것이 가장 바람직하다.

(3) 상황이야기 개발 및 적용 절차

상황이야기는 개별 학생을 대상으로 개발되는 것이 가장 바람직하며 만일 본 책에 제시된 내용을 사용할 경우, 개별 학생에게 적합한 내용을 수정해서 사용해야 한다. 상황이야기 개발 절차는 다음과 같다(박현옥, 2020).

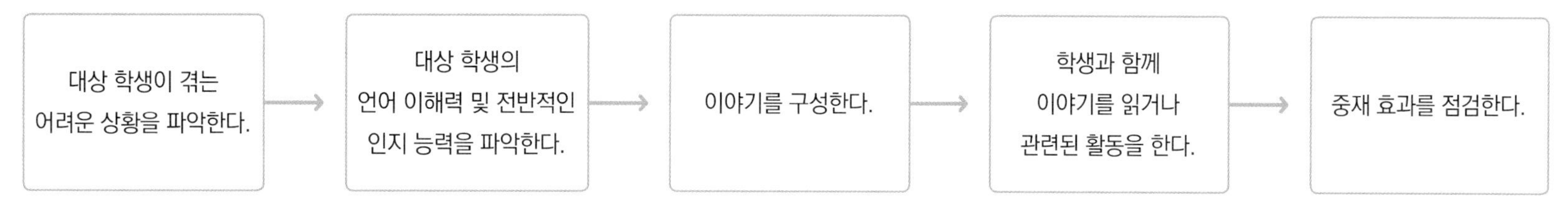

■ 학생에 대한 개별화된 정보 수집

학생에 대한 개별화된 정보는 첫째, 학생이 어려움을 보이는 사회적 상황에 대한 정보와 둘째, 학생의 능력에 대한 정보의 두 가지 차원으로 수집해야 한다.

상황이야기가 필요한 사회적 상황 파악하기	학생의 전반적인 능력을 이해하기
· 학생이 사회적 상황에서 겪는 어려움은 무엇인가? · 어떤 상황에서 가장 많은 어려움을 나타내는가? · 어려움의 정도는 어느 정도인가?	· 언어 이해 능력은 어느 정도인가? · 글을 읽을 수 있는가? 읽을 수 있다면 문장과 이야기 이해 능력은 어느 정도인가? · 학생이 좋아하는 것은 있는가? 있다면 구체적으로 무엇인가?

(4) 상황이야기 작성

상황이야기는 개별적으로 수집된 정보에 근거하여 작성해야 한다. 또한 이야기 속에 대상 학생의 관심사를 포함하여 학생이 보다 즐겁게 이야기를 읽을 수 있도록 작성해야 한다.

다음 글상자는 상황이야기 작성 시 고려해야 할 구체적인 지침이다.

- 상황이야기 작성 시 사용하는 문장은 긍정문으로 작성 한다.
- 상황이야기 구성 시 문장 수준은 개별 아동에게 적합하게 작성한다.
- 본 책에서 제시한 이야기와 같이 이미 작성된 이야기를 활용할 경우에는 개별아동의 능력에 적합한 수준으로 수정해서 적용한다.
- 이야기의 내용은 아동이 매일 접하는 일상생활과 관련된 내용으로 구성한다.
- 상황이야기에는 사회적 상황에서 어떤 일이 일어나고 있는지, 그럴 때 어떤 행동을 해야 하는지, 다른 사람들의 마음은 어떠한지, 그러므로 나는 어떤 행동을 해야 하는지 등을 구체적이고 명시적으로 제시한다.
- 상황이야기는 글자와 그림이라는 시각적 단서를 활용한다. 이야기에 포함된 그림자료는 이야기 이해를 도울 수 있다. 그러므로 그림 자료는 이야기 내용과 직접적으로 관련되도록 제시한다.
- 이야기는 가능한 짧고 명확하게 구성한다.

출처 : 방명애 외, 2018; Gray, 2015

(5) 상황이야기 적용

상황이야기는 다음과 같은 방법으로 적용할 수 있다(박현옥, 2020)

① 상황이야기 책 제작하기

위 절차에 의해 개발된 이야기는 책과 같은 형태로 제작하여 대상 학생이 쉽게 볼 수 있는 장소에 비치하거나 학생이 직접 가지고 다니면서 읽을 수 있도록 한다. 이처럼 일반적인 이야기 책 형태로 제작하여 활용하는 방법 외에도 테블릿 PC나 스마트 폰 앱, 비디오 피드백 등과 같은 멀티미디어를 활용하여 적용할 수도 있다.

② 상황이야기를 읽는 환경과 시간

• 상황이야기를 읽는 환경

상황이야기의 작용 환경은 개별아동의 특성과 이야기 주제에 따라 달라질 수 있으나 일반적으로 대상 학생이 편안하게 느낄 수 있는 조용한 곳이 가장 적절하다. 예를 들어, 가정에서 부모님과 함께 이야기를 읽는다면 서재나 학생의 방과 같이 편안한 장소에서 부모님과 나란히 앉아서 읽는 것이 바람직하다.

상황이야기를 읽는 환경의 예시

· 학교 : 조용한 도서 영역 및 학생의 개별 책상 등
· 가정 : 학생이 편안함을 느끼는 장소

•상황이야기를 읽는 시간과 빈도

시간	상황이야기를 읽는 시간은 학생이 편안하게 읽을 수 있는 시간이 바람직하다. 예를 들어, 가정과 지역사회 이야기를 부모님과 읽는다면 방과 후 간식을 먹은 직후나 잠자기 전 등과 같이 일정한 시간을 정해 놓고 읽는 것이 바람직하다.
빈도	상황이야기를 읽는 빈도는 학생의 필요에 따라 적절히 조절할 수 있다. 예를 들어, 서울 시내의 한 중학교 특수학급에서 상황이야기를 적용한 경우, 주 4회 이상 이야기를 읽을 수 있도록 하였으며 하루에는 3회 이상 이야기를 읽게 한 사례도 있다.

③ 상황이야기를 읽을 때 함께 하는 사람

상황이야기를 적용하는 초기에는 대상 학생을 잘 알고 상황이야기 개발 과정에 참여한 교사나 부모와 함께 이야기를 읽는 것이 적절하다. 즉, 아동을 잘 이해하면서 아동과 친밀감을 형성한 사람과 이야기를 읽으며 상황이야기를 읽고 이해할 수 있도록 지원할 수 있다. 그러나 점차 아동이 혼자 이야기를 읽을 수 있게 되면 성인의 지원은 점차 줄일 필요가 있다(박현옥, 2020).

학생이 스스로 이야기를 읽을 경우에는 상황이야기 점검표 등을 제작하여 읽은 후에 읽었음을 체크하여 스스로 점검하도록 할 필요가 있다(박현옥, 2020).

④ 다른 중재 방법과 연계하기

상황이야기는 이야기 형식으로 구성하여 이야기를 읽고 어려움을 느끼는 상황을 이해하고 적절한 행동을 할 수 있도록 지원하는 것을 목적으로 한다.

그러므로 이러한 이해를 촉진하기 위해 다른 중재 방법과 연계하여 보다 효과적으로 활용할 수 있는데, 예를 들어, 상황이야기를 적용하는 과정에서 '짧은만화대화(comic strip conversation)' 방법을 더할 수도 있으며(Bock, Rogers, & Myles, 2001), 상황극을 하면서 이해를 높일 수 도 있고 상황이야기를 노래로 만들어 부른다거나(Brownell, 2002), 비디오 모델링을 활용하는 방법(Sansosti, & Powell-Smith, 2008; Scattone, 2008) 등과 같이 여러 다양한 중재 요소와 연계하여 보다 효과적으로 활용할 수 있다.

(6) 상황이야기 적용 시 고려할 점

- 본 책에 제시된 이야기는 자폐스펙트럼 장애학생의 보편적 특성을 반영하여 개발하였다. 따라서 개별학생에게 적용할 경우 학생의 개별적 요구에 적합하게 수정해서 적용해야 한다(박현옥, 2020).
- 처음 상황이야기를 적용하는 경우 개별학생에게 가장 우선적으로 필요한 상황에 대하여 우선순위를 정한 후 한번에 한 가지 이야기를 읽도록 하는 것이 가장 바람직하다. 이후 점차 다음 이야기로 확대할 필요가 있다.
- 이야기를 소개할 때는 편안하고 긍정적인 태도로 소개해야 한다.
- 처음 이야기를 적용하는 단계에서는 교사나 부모와 같은 성인이 대상 학생과 나란히 앉아서 읽을 수 있다. 이후 점차 학생이 스스로 읽을 수 있게 되면 부모나 교

사의 개입을 최소화하여 스스로 읽을 수 있도록 지도한다. 이때 상황이야기 점검표 등을 활용하여 스스로 관리하도록 할 수 있다.

- 이야기를 읽을 때 이해를 돕기 위해 이야기책에 제시된 그림자료를 활용할 수도 있으며 아동과 성인(교사 또는 부모)이 짧은 만화 대화와 같은 그림을 그리면서 이야기를 읽을 수도 있다.
- 이야기 내용을 중심으로 역할극을 실행하여 이야기 속의 상황을 보다 잘 이해하고 실행할 수 있도록 지원할 수 있다.
- 대상 학생의 선호도에 따라 테블릿 피씨를 활용할 수도 있으며 작은 책 형태로 제작하여 학생의 흥미를 유발할 수 있다.

* 이 부분은 「나의 학교 이야기 : 발달장애아동의 사회적 기술 향상을 위한 상황이야기」의 2-6쪽, 32-33쪽의 내용과 동일하게 제시되었음을 밝힌다.

참고문헌

· 방명애, 박현옥, 김은경, 이효정(2018). 자폐성 장애학생 교육, 서울: 학지사.

· 박현옥(2020). 나의 학교 이야기 : 발달장애아동의 사회적 기술 향상을 위한 상황이야기. 서울: 파라다이스복지재단.

· Bock, M., Rogers, M. F., & Myles, B. S. (2001). Using social stories and comic strip conversations to interpret social situations for an adolescent with Asperger syndrome. Intervention in School and Clinic, 36(5), 310-313.

· Gray, C. (2015). The New Social Story Book, Revised and Expanded 15th Anniversary Edition: Over 150 Social Stories that Teach Everyday Social Skills to Children and Adults with Autism and their Peers, Arlington, TX : Future Horizons.

· Sansosti, F. J., & Powell-Smith, K. A. (2008). Using computer-presented social stories and video models to increase the social communication skills of children with high-functioning autism spectrum disorders. Journal of Positive Behavior Interventions, 10(3), 162-178.

· Scattone, D. (2008). Enhancing the conversation skills of a boy with Asperger's disorder through Social Stories™ and video modeling. Journal of Autism and Developmental Disorders, 38(2), 395-400.

1부

가정과 가족

1장. 특별한 날

2장. 나의 하루

3장. 나의 집

1. 특별한 날

1-1. 명절

044 · 명절입니다.
046 · 많은 친척을 만납니다.
048 · 설날 세배를 합니다.
050 · 설날에는 이런 음식을 먹습니다.
052 · 추석 : 차례를 지냅니다.
054 · 추석에는 이런 음식을 먹습니다.
056 · 돌아가신 분을 기억하는 날입니다.
058 · 크리스마스입니다.
060 · 국경일과 공휴일입니다.

1-2. 생일

062 · 내 생일날 가족들과 함께합니다.
064 · 내 생일날 친구들을 초대합니다.
066 · 친구 생일에 초대받았습니다.
068 · 생일 케익과 생일 왕관

1-3. 집에 있는 날

070 · 방학입니다.
072 · 주말에는 학교에 가지 않습니다.
074 · 집에서 이런 일을 할 수 있습니다.
076 · 나 혼자 집에 있는 날입니다.

1-4. 이사

078 · 이사하는 날입니다.

1-5. 날씨와 계절

080 · 날씨와 계절에 맞는 옷을 입어요.
082 · 비 오는 날입니다.
084 · 눈 오는 날입니다.
086 · 천둥과 번개 치는 날입니다.

2. 나의 하루

1-6. 나의 하루 : 아침

088 · 아침에 일어나 이런 일을 합니다.
090 · 아침 식사를 합니다.
092 · 등교 준비를 합니다.
094 · 학교에 가는 중입니다.

1-7. 나의 하루 : 오후

096 · 학교를 마치고 집으로 돌아오는 길입니다.
098 · 학교에서 집으로 돌아온 후에는 이렇게 합니다.
100 · 알림장을 확인합니다.
102 · 학교 숙제를 합니다.
104 · 과외 활동을 합니다.

1-8. 나의 하루 : 저녁

106 · 온가족이 저녁 식사를 합니다.
108 · 가족들과 즐거웠던 하루 이야기를 합니다.
110 · 가족들과 텔레비전을 봅니다.

1-9. 나의 하루 : 밤

112 · 내일 학교에 가져가야 할 준비물을 확인합니다.
114 · 일기를 씁니다.
116 · 몸을 씻고 잠옷으로 옷을 갈아입습니다.
118 · 혼자 잘 수 있습니다.

3. 나의 집

1-10. 전화

120 · 전화를 잘 받을 수 있습니다.
122 · 내 친구와 전화를 합니다.
124 · 엄마 아빠께 전화 드립니다.
126 · 선생님께 전화드립니다.

1-11. 이웃의 방문

128 · 누구인지 확인 후 문을 열어 줍니다.
130 · 이웃 어른이 우리 집에 오셨습니다.
132 · 집에 손님이 오셨습니다.
134 · 우리 집에서 어른들이 모여 회의를 합니다.
136 · 내 친구가 놀러왔습니다.

1-12. 우리집 거실과 부엌

138 · 부엌에서 사용하는 도구를 이용합니다.
140 · 가족들과 식사를 합니다.
142 · 식사 후에는 이렇게 합니다.
144 · 모든 가족이 편안하고 즐겁게 지냅니다.

1-13. 우리집 목욕탕

146 · 세수와 양치질을 합니다.
148 · 샤워를 할 때는 이렇게 합니다.

1-14. 나의 방

150 · 내 방을 설명합니다.
152 · 공부를 합니다.
154 · 놀이를 합니다..

특별한 날

1-1-1. 명절입니다.

명절은 특별한 날입니다.

우리 달력에 설, 추석, 크리스마스 이렇게 표시된 날을 주로 명절이라고 합니다.

달력에 빨간색으로 표시되기도 합니다.

명절날

우리 가족은 할머니 댁에 가서 많은 사람들을 만날 수 있습니다.

우리 집에 손님이 오실 수도 있지요.

명절날

여러 가지 맛있는 음식도 먹고 세뱃돈을 받거나 선물을 받기도 합니다.

사촌 형이나 누나들과 재미있는 놀이를 할 수도 있습니다.

명절날, 나는 여러 어른들을 만나 인사드리고 맛있는 음식을 먹으며 재미있는 놀이를 할 수 있습니다.

특별한 날

1-1-2. 많은 친척을 만납니다.

설날이나 추석 같은 명절이 되면 할머니 댁에서 많은 친척을 만납니다.
내가 만나는 친척은 할머니, 할아버지, 고모, 고모부, 삼촌, 숙모, 이모, 이모부
이렇게 많은 사람들입니다.

사람들이 많으면 재미있지만 때로는 소란스러울 수 있습니다.
어른들도 오랜만에 만나면 아이들처럼 큰 소리로 이야기를 하지요.
그럴 때 나는 사촌 형들과 재미있는 놀이를 하거나
집안이 소란스러워서 힘들 때는 내가 가져간 책을 조용히 읽을 수도 있습니다.

친척 어른들께 학교에서 어떻게 지내고 있는지를 이야기해 드릴 수도 있지요.
명절날, 나는 많은 친척을 만나 즐겁게 지낼 수 있습니다.

1-1-3. 설 날 세배를 합니다.

설날은 새해가 시작되는 날입니다.

설날 우리는 예쁘고 멋진 한복으로 갈아입고 어른들께 세배를 합니다.

세배는 어른들께 드리는 새해 인사입니다.

세배는 "새해 복 많이 받으세요."라고 말씀드리면서 절을 하는 것입니다.

내가 세배를 드리면 어른들은 "이번 한 해도 즐겁고 건강하게 지내렴."하시면서 세뱃돈을 주십니다.

세뱃돈을 받으면 '감사합니다.'라고 인사드립니다.

세배는 참 재미있습니다.

설날이 되면 나는 멋진 한복을 입고 어른들께 세배를 드리겠습니다.

특별한 날

1-1-4. 설날에는 이런 음식을 먹습니다.

설날

우리 가족은 할머니 댁에 가서 세배를 드리고

맛있는 떡국과 여러 가지 음식을 먹습니다.

떡국은 평소에도 먹을 수 있지만

설날 먹는 떡국은 조금 더 특별합니다.

새해 인사처럼 새해를 맞이해서 여러 가족들이 함께 나누는 음식이기 때문입니다.

그리고 떡국을 먹으면 한 살 더 먹게 된다는 뜻도 있지요.

설날, 나는 떡국을 먹고 한 살 더 먹게 된 형님이 됩니다.

나는 떡국을 맛있게 먹고 더 큰 형님이 되어 멋진 한 해를 잘 보내겠습니다.

특별한 날

1-1-5. 추석입니다.

추석은 가을에 맞이하는 우리의 명절입니다.

추석은 올해 키워낸 곡식과 과일을 먹으며 하나님과 돌아가신 어른들께 감사드리는 날입니다.

추석이 되면 우리 가족은 할머니 댁에 가서 여러 친척들을 만나 맛있는 음식을 먹고 조상님께 차례를 드립니다.

조상님은 돌아가신 옛날 어른들을 말합니다.

교회 다니는 가족들은 차례 대신 추도 예배를 드리기도 합니다.

차례나 추도 예배는 돌아가신 어른들을 기억하고 감사드리는 시간이랍니다.

추석날 여러 친척을 만나 이야기 나누고 맛있는 음식을 나누면 모두가 즐거워합니다.

추석날 나도 친척 어른들과 사촌들을 만나 재미있게 지낼 수 있습니다.

특별한 날

1-1-6. 추석에는 이런 음식을 먹습니다.

추석날 우리 가족은 할머니 댁에 갑니다.
할머니 댁에 가서 우리는 맛있는 음식을 먹습니다.
주로 송편과 과일, 그리고 맛있는 여러 가지 음식을 먹습니다.
송편은 떡집에서 살 수도 있고 집에서 만들기도 합니다.
송편 만들기는 아주 재미있습니다.
송편은 쌀가루 안에 맛있는 밤이나 팥가루, 콩, 깨가 들어간 꿀을 넣어 만들지요.
나도 어른들을 도와 송편을 만들 수 있습니다.
내가 송편 만들기를 같이 하면 부모님과 친척 어른들이 매우 기뻐하십니다.

추석날,
나는 여러 가지 맛있는 음식을 즐겁게 만들고 즐겁게 먹을 수 있습니다.

특별한 날

1-1-7. 돌아가신 분을 기억합니다.

오늘은 제사(추도 예배)를 지내는 날입니다.
제사(추도 예배)는 하늘나라로 가신 할머니(할아버지)를 기억하기 위한 날입니다.
이날이 되면 우리 가족과 여러 친척이 모여서 할머니(할아버지) 사진을 보거나 동영상을 보면서 이야기를 나눕니다.
모인 사람들을 위해 할머니(할아버지)께서 좋아하셨던 음식이나 우리가 좋아하는 음식을 만들어 먹기도 하지요.

어떤 때는 할머니(할아버지) 사진을 보면서 인사를 합니다.
이렇게 하늘나라로 돌아가신 분들께 드리는 인사를 절이라고 합니다.
많은 친척이 모이면 큰 소리로 웃을 수도 있고, 시끄럽게 이야기를 할 수도 있습니다.
그래도 나는 친척들이 함께 모여 할머니에 대한 기억을 나눌 수 있어 참 좋습니다.

나는 이런 특별한 날에 사촌 형들과 할머니(할아버지) 사진을 보며 할머니(할아버지)에 대한 이야기를 하거나
맛있는 음식을 나누면서 잘 지낼 수 있습니다.

특별한 날

1-1-8. 크리스마스입니다.

크리스마스는 12월 25일입니다.

크리스마스 날은 성탄절이라도고 하지요.

크리스마스는 예수님이 태어나신 날입니다.

이날을 위해 우리 가족은 집안에 멋진 트리를 만들어 놓습니다.

그리고, 산타 할아버지를 기다립니다.

산타 할아버지는 일 년 동안 열심히 지낸 우리를 칭찬하기 위해 내가 좋아하는 선물을 들고 오셔서 우리에게 선물을 주십니다.

어떨 때는 우리가 자고 있는 동안 몰래 다녀가시기도 한답니다.

산타 할아버지를 대신해서 부모님께서 선물을 주실 수도 있고요.

나도 친구나 부모님께 감사 카드를 써서 드린답니다.

크리스마스 날 우리는 멋진 선물도 받고 부모님과 함께 교회에 가서 성탄 축하 예배를 드립니다.

집에서 맛있는 음식을 먹을 수도 있고, 식당에 가서 맛있는 음식을 사 먹을 수도 있습니다.

크리스마스 날, 우리 가족은 함께 모여 즐겁고 행복한 시간을 보냅니다.

나도 우리 가족들과 즐거운 시간을 보낼 것입니다.

특별한 날

1-1-9. 국경일과 공휴일이란 이런 날입니다.

국경일과 공휴일은 학교에 가지 않습니다.
국경일은 우리나라의 경사를 축하하기 위해서 정한 날입니다.
국경일에는 나라의 경사를 축하하기 위해서 여러 가지 축하 행사를 합니다.
우리 집에서는 태극기를 게양하지요.

우리나라의 국경일은 삼일절, 제헌절, 광복절, 개천절, 한글날입니다.
국경일에는 대개 학교에 가지 않고 집에서 쉬지만 어떤 날은 학교에 가기도 합니다.
예를 들면, 제헌절은 국경일이지만 공휴일이 아니어서 학교에 가기도 합니다.

6월 6일 현충일도 국가가 정한 기념일이고 공휴일입니다.
그러나 나라를 위해 싸우다 돌아가신 군인과 그 가족들을 위로하기 위한 날입니다.
그러므로 조용히 집에서 쉬면서 나라를 위해 돌아가신 군인들을 생각합니다.

공휴일은 국경일을 포함해서 나라에서 쉬도록 정한 날입니다.
그런 날은 우리는 때로는 즐겁게, 때로는 조용히 집에서 쉬거나
야외로 놀러 가거나
동네 놀이터에서 친구들과 재미있는 놀이를 하면서 보낼 수 있습니다.

국경일과 공휴일에 학교에 가지 않으므로
나는 즐겁게 쉬면서 내가 해야 하는 일이나 놀이를 하면서 보내겠습니다.

생일

1-2-1. 내 생일날 가족들과 함께 합니다.

0월 00일은 내 생일입니다.
내 생일이란 내가 태어난 날입니다.

내 생일은 매우 기쁘고 감사한 날입니다.
왜냐하면 우리 엄마께서 나를 낳아주셔서 감사하고
우리 가족이 모두 나의 생일을 축하하기 때문에 기쁘답니다.

내 생일날,
엄마께서는 맛있는 음식을 해주시고
가족들이 모두 모여 맛있는 케이크에 촛불을 켜고 축하 노래를 부르며
맛있는 음식을 먹으며 즐겁게 보냅니다.
내가 좋아하거나 갖고 싶은 물건을 선물로 받을 수도 있답니다.
물론 축하 카드를 받기도 합니다.

나는 내 생일날 즐겁고 감사한 마음으로 가족들과 생일 파티를 하겠습니다.

생일

1-2-2. 내 생일날, 친구들을 초대합니다.

내 생일날, 내 친구들을 우리 집에 초대해서 축하 파티를 할 수도 있습니다.
내 생일에 친구를 초대하려면
먼저 엄마께 의논 드리면서 내 생각을 말씀드릴 수 있습니다.

엄마께서 친구 초대를 허락하시면
내가 좋아하는 친구들을 초대할 수 있어요.
친구를 초대하는 방법은

1) 0월 0일은 내 생일이니 0시까지 우리 집으로 오라고 말로 이야기하거나
2) 생일 초대 카드를 줄 수도 있습니다.
3) 전화나 문자 메시지로 초대할 수도 있습니다.

친구를 초대하는 일은 매우 기쁜 일입니다.
초대받은 친구들도 기뻐하지요.

친구들과 함께 생일 파티를 할 때는
맛있는 케익과 친구들이 좋아하는 과자도 준비하고
재미있는 게임도 준비해서 즐겁게 놀 수 있습니다.
내 생일에 온 친구들은
나에게 "생일 축하해"라고 말하고 선물을 주기도 합니다.
나는 친구에게 "고마워"라고 말할 것입니다.

내 생일날 나는 친구들과 즐겁게 생일 파티를 할 수 있습니다.

1-2-3. 친구생일에 초대 받았습니다.

0월 0일은 내 친구 00이의 생일날입니다.
생일을 맞은 00이는 나를 초대하였습니다.
친구 생일에 초대받는 것은 기쁜 일입니다.

00이는 생일 초대 카드에 언제 어디로 오라고 알려주었습니다.
이렇게 말이지요.

내 생일에 초대합니다.

친구야.
내 생일에 초대하니 그날 꼭 와주렴

장소 : H 아파트 101동 101호
시간 : 3월 9일(토) 11:00

친구 생일에 초대 받은 나는 친구에게 줄 생일 선물을 준비합니다.

친구 생일에 어떤 선물을 준비할지 혼자 생각할 수도 있고
엄마, 아빠와 함께 생각할 수도 있습니다.
친구에게 줄 축하 카드를 같이 준비할 수도 있습니다.
친구 생일날 나는 준비한 선물을 가지고 갑니다.
친구에게 생일 선물을 줄 때
“생일 축하해.”라고 말합니다.

선물은 생일인 친구가 열어 볼 수 있지요.
내 선물을 받은 친구는 매우 기분이 좋답니다.
그런 친구를 바라보는 나도 기분이 아주 좋습니다.
선물을 주고 난 후 우리 친구들은 맛있는 음식도 나누어 먹고
즐거운 게임도 할 수 있습니다. 놀이터에 나가서 신나게 놀 수도 있고요.

친구 생일날, 나는 친구와 함께 즐거운 시간을 보낼 수 있습니다.

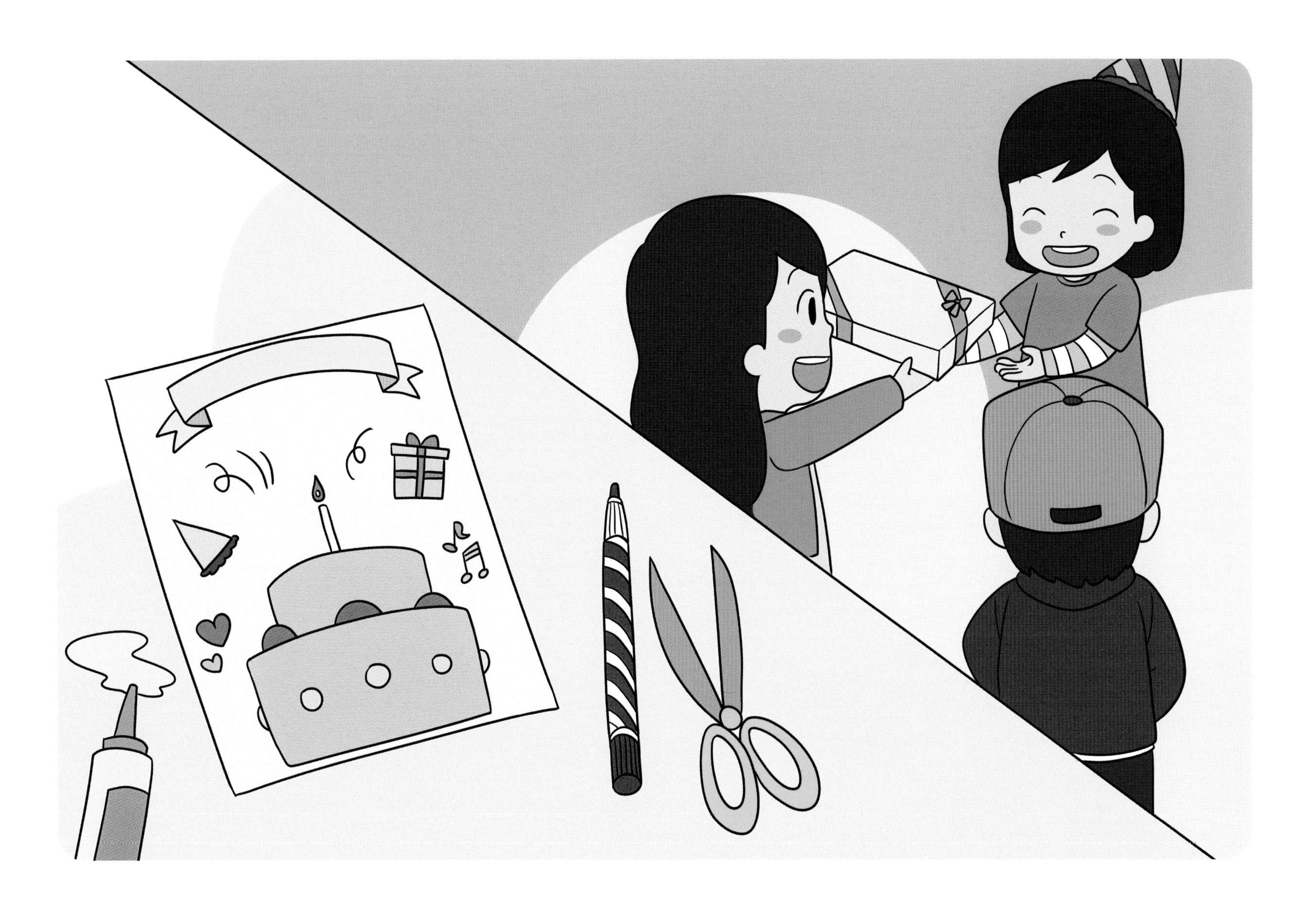

1-2-4. 생일 케익과 생일 왕관

생일 축하 파티를 위해 많은 친구들이 모였습니다.
나는 친구들과 함께 '생일 축하 노래'를 부릅니다.
노래가 끝나면 생일인 친구가 케이크에 있는 촛불을 끄지요.

촛불을 끌 때 작은 폭죽을 터트리기도 해요.
폭죽이 터지면 갑자기 큰 소리가 나지요.
폭죽 소리에 깜짝 놀랄 수도 있지만
소리는 금방 사라질 거예요.
촛불과 폭죽은 축하하는 마음을 전하기 위한 것입니다.

케이크에 있는 촛불을 끄면
나는 다른 친구들과 함께 박수를 칠 거에요.
그리고 케익을 나누어 먹습니다.
생일 파티는 정말 기쁘고 즐겁습니다.

나는 나와 친구의 생일 파티에서 친구들과 함께 즐겁게 지낼 수 있습니다.

1-3-1. 방학입니다.

방학이란 오랫동안 학교에 가지 않고 집에서 지내는 시간을 뜻합니다.
너무 더워서 학교에서 공부하기 힘든 7월과 8월에는 여름 방학을 합니다.
너무 추워서 힘든 시간인 12월부터 1월까지는 겨울 방학을 하지요.

방학에는
집에서 부모님과 함께 생활하거나 공부합니다.
가끔은 가족들과 멀리 놀러 가기도 하고요.
친구들과 함께하는 캠프에 다녀올 수도 있습니다.
학교 다닐 때 배우지 못했던 운동이나 음악 활동을 하기도 하지요.

방학을 시작하게 되면 방학을 어떻게 보내야 할지 생각해보고 그것을
계획표로 만들어 볼 수도 있답니다.
친구들은 방학을 매우 좋아합니다.
왜냐하면
아침에 조금 늦게 일어날 수도 있고,
친구들과 편안하게 놀 수 있는 시간도 조금 많아지기 때문입니다.

그렇다면 나도 즐겁습니다.

나는 방학을 즐겁고 보람차게 보내기 위해
멋진 계획표를 만들고 계획에 따라 실천하겠습니다.

1-3-2. 주말에는 학교에 가지 않습니다.

우리는 월요일부터 금요일까지 학교에 갑니다.
토요일과 일요일에는 학교에 가지 않습니다.
물론, 토요일에 토요 특별활동을 학교에서 한다면 학교에 가기도 하겠지요.
그러나 대개는 토요일과 일요일은 집에서 부모님과 함께 보내게 됩니다.

내 친구들은 토요일과 일요일을 좋아합니다.
왜냐하면 월요일부터 금요일까지 학교에 가느라 지친 몸을 쉬도록 할 수 있기 때문이지요.
아빠나 엄마께서도 토요일과 일요일에는 직장에 가지 않으시고 우리와 같이 쉴 수 있습니다.

학교에 가지 않는 날,
나는 조금 늦잠을 잘 수도 있습니다.
밀린 숙제를 할 수도 있습니다.
동생과 재미있는 놀이를 할 수도 있고요.
부모님과 영화를 보러 가거나 놀이공원에 가서 재미있는 시간을 보낼 수도 있습니다.

학교에 가지 않는 토요일과 일요일에
나는 즐겁게 쉬면서 다음 주를 준비하겠습니다.

1-3-3 집에서 이런 일을 할 수 있습니다.

우리는 월요일부터 금요일까지 학교에 갑니다.

토요일이나 일요일에는 학교에 가지 않습니다.
어떤 날은 토요일이나 일요일이 아닌데도 학교에 가지 않습니다.
국경일이나 공휴일에도 학교에 가지 않습니다.
국경일이나 공휴일은 나라 전체가 축하할 일이나 기념해야 할 일이 있는 날입니다.
대개 달력에 빨간색이나 파란색으로 표시되어 있습니다.

학교에 가지 않는 날
나는 내가 해야 할 일이 무엇인지를 생각합니다.
숙제가 있다면 미리 숙제를 해야 하지요.
집에서 엄마나 아빠를 도와드릴 수도 있어요.
내 방을 치우기도 하지요.

놀이터에 갈 수도 있고, 집에서 텔레비전을 보거나 게임을 할 수도 있습니다.
온 가족이 여행을 가거나 가까운 곳에 소풍을 가기도 합니다.

쇼핑센터에 가서 필요한 물건이나 옷을 살 수도 있습니다.

나는 학교에 가지 않는 날을 잘 기억해서
부모님과 친구들과 함께 즐겁게 지낼 수 있습니다.

1-3-4. 나 혼자 집에 있는 날입니다.

오늘은 나 혼자 집에 있는 날입니다.
엄마와 아빠께서 모두 외출하셨거든요.
아주 가끔은 이렇게 나 혼자 집에 있어야 하는 날도 있답니다.

이렇게 내가 혼자 집에 있어야 할 때는
엄마나 아빠께서 나에게 미리 말씀을 해 주실 거예요.

나 혼자 집에 있어야 할 때,
나는 아주 심심할 수 있습니다. 조금 무섭기도 하고요.
그렇다면
나는 학교 숙제를 할 수도 있고
재미있는 놀이를 하거나 책을 읽을 수 있습니다.
TV를 볼 수도 있고요.
어떤 때는 내 친구를 초대해서 친구와 함께 놀 수도 있답니다.
친구를 초대할 때는 먼저 부모님께 말씀드려서 누구를 초대할지 허락을 받아야 합니다.
물론 친구에게도 나와 같이 우리 집에서 놀 수 있는지 의견을 물어봐야겠지요.

이렇게 나 혼자 집에 있어야 하는 날이면
나는 혼자 할 수 있는 놀이를 하면서 엄마, 아빠를 기다리겠습니다.

1-4-1. 이사하는 날입니다.

우리 가족은 새로운 집으로 이사를 합니다.
이사란 우리가 살던 집을 떠나 새로운 집으로 가서 살게 되는 것입니다.
이사를 하게 되면
살던 집에 있던 물건도 우리와 함께 새집으로 옮기게 됩니다.

이사 가는 날
우리 집에 있던 물건을 새로운 집으로 옮깁니다.
물건을 옮기는 것을 도와주시는 분들이 오시기도 합니다.

이사 가는 날은 조금 정신이 없습니다.
엄마, 아빠도 매우 바쁘시답니다.
나도 바쁜 것 같습니다.
그렇지만 나는 내 물건을 잃어버리지 않도록 잘 챙깁니다.

어떤 때는 이삿짐을 옮기다가 내가 예전에 잃어버렸던 장난감이나 소중한 물건을 찾을 수도 있습니다. 그러면 나는 매우 기분이 좋아지겠지요.

새로운 집에 도착하면
엄마나 아빠는 나에게 화장실은 어디인지,
내 방은 어디인지 알려주실 거예요.
우리 가족이 즐겁게 지낼 새집은 참 좋습니다.
기분 좋은 새로운 냄새가 날 수도 있습니다.
창밖에 보이는 풍경이 예전 집과 다를 수도 있지요.

우리 가족은 새로운 집에서 즐겁고 재미있게 지낸답니다.
나도 새로운 내 집에서 엄마, 아빠, 내 동생과 즐겁게 지낼 수 있습니다.

1-5-1. 날씨와 계절에 맞는 옷을 입어요.

날씨가 아주 더워졌습니다.
나는 그동안 입었던 긴팔 옷을 옷장에 넣고
반팔 옷을 입었습니다.
더운 날 긴 옷을 입으면 땀이 많이 흐를 수 있습니다.
너무 더워서 몸도 힘들고 짜증이 날 수도 있지요.

날씨가 바뀌면 옷도 바꿔 입어야 합니다.
더운 날에는 시원한 옷을 입어야 합니다.

이렇게 옷을 바꿔 입어야 할 때 내 마음이 불편할 수도 있습니다.
옷장에 넣어두었던 옷에서 나는 냄새가 싫을 수도 있고,
짧은 옷 때문에 너무 어색해서 짧은 옷을 자꾸만 잡아당기고 싶을 수도 있습니다.
그러나 짧은 옷을 자꾸 입으면 내 몸도 마음도 곧 편안해질 수 있습니다.

나는 땀이 나는 더운 여름이 되면 짧은 팔 옷처럼 시원한 옷을 입을 수 있습니다.

1-5-2. 비오는 날입니다.

오늘은 비가 내리는 날입니다.
비 오는 날 학교에 가려면 비옷을 입고
우산을 써야 합니다.
비를 막아줄 수 있는 신발인 장화를 신을 수도 있답니다.

비가 내리면
꽃과 나무들이 더욱더 싱싱하게 자랄 수 있습니다.
더러워진 길도 깨끗해질 수 있지요.

그런데, 비가 내려서 불편한 점도 있습니다.
내 머리가 젖을 수도 있고
내가 좋아하는 체육 활동을 못 할 수도 있게 되지요.
친구랑 놀이터에서 놀지 못할 수도 있습니다.

그러나 비가 내려야 살 수 있는 식물과 동물이 있기 때문에
내가 조금 불편해도 잘 지낼 수 있습니다.

실내에서 할 수 있는 게임이나 놀이를 생각해서 즐겁게 지낼 수 있습니다.

비 오는 날, 나는 여러 가지 즐거운 실내 놀이를 하면서 즐겁게 지내겠습니다.

1-5-3. 눈 오는 날

아주 추운 겨울이 되면 하늘에서 눈이 내립니다.
눈이 오면 친구들과 밖에 나가서 눈사람을 만들 수 있습니다.
친구들과 눈을 던지며 즐겁게 놀 수도 있지요.

눈 오는 날, 눈 놀이를 하려면
따뜻한 외투를 입고, 따뜻한 모자를 써야 하지요.
목도리와 장갑도 필요하답니다.

눈이 내리면 사람들은 많이 즐거워합니다.
모두 모두 신나는 것 같은 즐거운 얼굴을 하고 다니지요.

나도 눈이 내리면 친구들과 눈 놀이를 하고 싶은 마음에
마음이 둥둥 떠다닙니다.

눈 내리는 날,
나는 친구들과 즐거운 눈 놀이를 하겠습니다.

1-5-4. 천둥과 번개 치는 날입니다.

비가 많이 내리는 날
가끔 하늘에서 큰 소리가 납니다.
비 올 때 나는 큰 소리를 천둥 소리라고 합니다.
천둥 소리는 비가 많이 내릴 때 울립니다.
어떤 때는 번개가 지나간 후에 울리기도 하지요.
번개는 비가 올 때 나타나는 번쩍이는 불꽃을 말합니다.
번개의 불꽃 때문에 하늘이 갑자기 밝아지기도 합니다.
번개가 치거나 천둥소리가 날 때 약간 무서운 마음이 생깁니다.
그러나 천둥 소리 나는 번개는 대개 금방 사라집니다.
그러므로 비가 많이 내리는 날
커다란 천둥소리가 나거나 번쩍이는 번개가 치더라도
학교나 집에서 친구나 부모님과 함께 내가 하던 일을 계속하겠습니다.

나의 하루 : 아침

1-6-1. 아침에 일어나 이런 일을 합니다.

나는 아침에 가족들과 함께 일어납니다.
엄마께서 깨우기 전에 스스로 일어나지요.
일어난 후에는 침대를 정리합니다.
그리고, 나는 화장실로 가서 몸단장을 합니다.
세수도 하고, 양치질도 하고, 머리도 빗습니다.
다음으로는 내 방으로 다시 돌아와서 학교에 갈 옷을 입습니다.
옷을 입을 때 어머니의 도움이 필요한 경우에는 '도와주세요'라고 합니다.
나는 아침에 스스로 일어나서 학교 갈 준비를 합니다.

1-6-2. 아침 식사를 합니다.

나는 학교 갈 준비를 마친 후 아침 식사를 합니다.
아침 식사는 가족들과 같이합니다.
식사를 하면서 즐거운 이야기를 나누기도 하지요.
때로는 오늘 어떤 일이 일어날지에 대하여도 이야기를 나눕니다.
식사를 마친 후 그릇을 정리합니다.

나는 아침 식사를 하는 동안 가족들과 즐겁게 식사를 합니다.

나의 하루 : 아침

1-6-3. 등교 준비를 합니다.

매일 아침 학교 가기 전에 나는 학교에서 필요한 준비물을 확인합니다.
학교에서 필요한 책은 잘 챙겨 넣었는지,
선생님께서 말씀해 주신 준비물을 잘 넣었는지,
숙제는 잘 넣었는지 등을 확인합니다.
그리고 가방과 신발주머니를 들고 학교로 갑니다.

1-6-4. 학교 가는 중입니다.

나는 아침에 등교할 때 바로 학교로 갑니다.
학교 가는 길에는 여러 가지 가게와 여러 가지 가고 싶은 곳이 많이 있을 수 있습니다.
그러나 학교에 가야 하는 아침에는 곧장 학교로 갑니다.
준비물을 사기 위하여 문구점에 가야 하는 경우에는 문구점에서 준비물을 삽니다.
그러고는 바로 학교로 향해 갑니다.
학교에 도착한 후에는 바로 나의 교실로 가겠습니다.

1-7-1. 학교를 마치고 집으로 돌아오는 길입니다.

나는 학교를 마친 후에 바로 집으로 가겠습니다.

학교 앞에는 여러 가지 가고 싶은 가게들과 많은 물건들을 구경합니다.

여러 사람들의 모습도 구경할 수 있습니다.

이런 재미있는 구경을 하면서 집으로 갑니다.

집으로 돌아가는 길에 많은 자동차를 조심하면서 걸어 다닙니다.

때로는 내일 학교에서 필요한 물건을 준비하기 위하여 문구점에서 학용품을 살 수도 있습니다.

학교를 마치고 집으로 돌아오는 길에 집의 방향이 같은 친구들과는 같이 이야기를 하면서 집으로 갈 수도 있습니다.

학교를 마치고 집으로 오는 길에 나는 자동차를 조심하면서 재미있게 걸어갑니다.

나의 하루 : 오후

1-7-2. 학교에서 집으로 돌아온 후에는 이렇게 합니다.

학교에서 집으로 돌아온 후 나는 이런 일들을 합니다.

먼저 책가방을 내 방에 가져다 놓고

손발을 깨끗이 씻어야 합니다.

하루 종일 학교에서 친구들과 지내다 보면 많은 먼지가 내 몸에 쌓일 수 있기 때문이지요.

그리고 편안한 옷으로 갈아입고 어머니께서 준비해 주신 맛있는 간식을 먹습니다.

간식을 먹은 후 잠시 쉰 후 선생님께서 내주신 숙제를 합니다.

때로는 학원에 가서 피아노 혹은 미술, 수영 등을 배울 수도 있습니다.

학교를 마치고 집으로 돌아온 후 나는 집에서 해야 하는 일들을 잘 할 수 있습니다.

나의 하루 : 오후

1-7-3. 알림장을 확인합니다.

학교에서 집으로 오기 전 선생님께서는 알림장에 기록해야 할 내용들을 알려주십니다.

알림장은 우리가 집에서 해야 할 숙제나 학교에 가져가야 할 준비물 등을 알려주지요.

때로는 학교 행사를 알려주기도 한답니다.

집으로 돌아온 후에는 알림장을 반드시 확인해야 합니다.

그리고 어머니께도 알림장을 보여드립니다.

그래야 선생님께서 알려주신 숙제를 잊지 않고 할 수 있답니다.

그리고 학교에서 필요한 준비물도 잘 가져갈 수 있답니다.

준비물을 가져가지 않으면 학교 수업 시간에 잘 참여할 수 없답니다.

나는 집으로 돌아와서 알림장을 잘 확인합니다.

그래서 알림장에 있는 준비물을 가방에 잘 넣어두겠습니다.

선생님께서 내주신 숙제도 잘하겠습니다.

나의 하루 : 오후

1-7-4. 학교 숙제를 합니다.

선생님께서는 그날그날 필요한 숙제를 내주십니다.
숙제는 학교에서 했던 공부들을 좀 더 잘하기 위해서
선생님께서 내주시는 것입니다.
나는 집으로 돌아와서 선생님께서 내주신 숙제를 확인한 후 바로 숙제를 합니다.
때로는 숙제가 너무 어렵거나 너무나 해야 할 양이 많을 수도 있습니다.
그럴 때는 더욱 열심히 해야 합니다.
그래도 너무 하기 힘든 경우에는 부모님께 도와달라고 말씀드릴 수 있습니다.
때로는 선생님께 말씀드려서 좀 더 쉬운 숙제를 달라고 하거나
양을 줄여달라고 할 수도 있습니다.
그렇게 해서 나에게 주어진 과제는 열심히 해야 합니다.
나는 학교에서 내주신 숙제를 열심히 하겠습니다.

1-7-5. 과외 활동을 합니다.

학교를 마친 후 나는 여러 가지 다른 것들을 배울 수 있습니다.

미술 학원에서 그림 그리기를 배울 수도 있지요.

음악 학원에서 피아노를 배울 수도 있고요.

태권도 학원에서 태권도를 배울 수도 있습니다.

이런 활동들은 학교에서 다 배우지 못하는 것들을 배우게 한답니다.

나는 이런 것들을 배우기 위하여 학원에 가지만 때로는 선생님께서 집으로 오셔서 가르쳐주실 수도 있습니다.

만일 배워야 할 것이 너무 많아서 힘들다면 부모님과 잘 이야기해서 나에게 꼭 필요하거나 꼭 하고 싶은 것만 하도록 할 수도 있습니다.

나는 학교를 마친 후 하는 이런 과외 활동들도 열심히 하려고 합니다.

1-8-1. 가족이 함께 모여 저녁 식사를 합니다.

우리 가족은 저녁 식사 시간에 함께 모여서 식사를 합니다.

물론 아빠께서는 일이 많으셔서 함께하지 못할 수도 있습니다.

이렇게 가족이 저녁을 먹을 때

나는 가족들과 재미있는 이야기를 나누며 식사를 합니다.

학교에서 있었던 일이나 내 친구들 이야기를 합니다.

부모님께 힘들었던 일도 이야기할 수 있습니다.

저녁 식사를 할 때 다른 가족들과 비슷한 속도로 식사를 하려고 합니다.

반찬은 골고루 먹으려 합니다.

나는 가족들과 같이 재미있고 이야기 나누고 맛있게 식사를 합니다.

나의 하루 : 저녁

1-8-2. 가족들과 즐거웠던 하루 이야기를 합니다.

저녁 식사 후 우리 가족은 아파트 주변으로 산책을 나가기도 합니다.

거실에 모여서 텔레비전을 보거나 함께 책을 볼 수도 있지요.

이런 저녁 시간에 우리는 그날 있었던 일들을 이야기합니다.

아빠는 회사에서 있었던 일들을 이야기하시지요.

엄마는 주로 내가 학교에서 어떻게 지냈는지를 물어보시겠지요.

그러면 나는 엄마께 나의 학교 이야기를 잘 말씀드립니다.

좋은 친구들, 나를 힘들게 한 친구들

재미있는 체육 시간과 음악 시간, 어렵고 힘든 수학 시간과 과학 시간 등에 대해서도 이야기를 합니다.

내가 나의 이야기를 잘해야 부모님께서는 나의 학교 이야기를 잘 이해하십니다.

나는 가족들과 나의 학교생활을 잘 이야기 하고

부모님의 이야기도 잘 들어드립니다.

1-8-3. 가족들과 텔레비전을 봅니다.

우리 가족은 저녁에 함께 모여 텔레비전을 봅니다.

텔레비전을 볼 때 우리는 서로 다른 것을 보고 싶어서 다투기도 하지요.

내가 보고 싶은 프로그램과 엄마가 보고 싶어 하시는 프로그램이 다를 수도 있습니다.

그럴 때 나는 엄마나 아빠가 보고 싶어하시는 프로그램을 보시도록 양보할 수도 있습니다.

만일 내가 꼭 봐야 하는 것이 있다면 나는 '저 이거 20분만 보고 방으로 들어갈게요. 허락해주세요.'라고 말씀드릴 수 있습니다.

나는 가족들과 텔레비전을 보는 동안 재미있게 이야기를 나누면서 봅니다.

나의 하루 : 밤

1-9-1. 내일 학교에 가져가야 할 준비물을 확인합니다.

잠자기 전 나는 내일 학교에 가져가야 할 준비물을 확인합니다.

학교에서 사용해야 하는 교과서를 잘 챙깁니다.

알림장에 쓰여 있었던 여러 가지 준비물도 잘 준비되었는지 다시 한번 확인하고 준비합니다.

그 외에 학교에서 사용해야 하는 여러 가지 물건들도 잘 준비합니다.

필통과 연필, 지우개와 샤프 등이 제대로 들어있는지 확인합니다.

학교에서 필요한 준비물을 잘 가져가야 수업에 잘 참여할 수 있고

친구들과도 더욱 잘 지낼 수 있습니다.

나는 잠자기 전에 학교에 가져가야 할 준비물이 잘 준비되었는지 확인합니다.

1-9-2. 일기를 씁니다.

나는 잠자기 전에 일기를 씁니다.
일기를 쓰는 시간은 하루 동안 내가 어떻게 잘 지냈는지를 생각해보고
다음 날은 어떻게 지내야 하는지를 한 번 더 생각해 보는 시간입니다.
일기는 그림으로 표현할 수도 있지요.
물론 글을 써서 나의 하루를 잘 정리할 수도 있습니다.
때로는 동시로 나의 하루를 표현하기도 합니다.
나는 일기를 쓰면서 그날그날 어떤 일들을 하고 지냈는지를 생각합니다.
그리고 내일은 어떻게 지내야 할지도 생각합니다.

나의 하루 : 밤

1-9-3. 몸을 씻고 잠옷으로 갈아입습니다.

나는 잠자기 전 몸을 깨끗이 씻습니다.

내가 하루를 보내는 동안 여러 가지 더러운 것들이 내 몸에 많이 묻었을 수 있습니다.

그래서 나는 샤워를 하면서 내 몸을 깨끗이 씻습니다.

그래야 더러운 병균들이 사라지고 나는 좀 더 건강해질 것입니다.

물론 양치질도 깨끗이 합니다.

샤워를 마친 후에는 깨끗하고 편안한 잠옷으로 옷을 갈아입습니다.

속옷도 갈아입지요.

잠옷은 편안하게 잠자기 위해서 입어야 하는 옷입니다.

나는 잠들기 전에 깨끗이 샤워하고 편안한 잠옷으로 갈아입겠습니다.

나의 하루 : 밤

1-9-4. 혼자 잘 수 있습니다.

잠자기 전 엄마께서는 나에게 재미있는 이야기책을 읽어주십니다.

때로는 성경책을 읽어 주시고 나와 함께 기도를 하기도 하지요.

이렇게 엄마와 침대에서 책을 읽고 난 후 나는 엄마와 '안녕히 주무세요.'

'잘 자라'라는 인사를 나눕니다.

이렇게 인사를 나눈 후에 엄마는 안방에 가서 주무십니다.

나는 내 방에서 이야기책을 한 권쯤 더 읽거나 아니면 바로 누워서 잠을 잡니다.

물론 혼자서도 잘 잘 수 있지요.

전화

1-10-1. 전화를 잘 받을 수 있습니다.

나는 다른 가족들에게 걸려온 전화를 받을 수도 있습니다.

전화를 받을 때는 '여보세요'라고 말하며 받습니다.

전화를 건 사람의 이야기를 들으며 누구에게 걸려온 전화인지를 확인합니다.

엄마께 걸려온 전화라면 대개는 '엄마 좀 바꿔줄래?' 또는 '엄마 계시니?' 라고 말할 것입니다.

그러면 나는 '네, 바꿔드리겠습니다'라고 하면서 엄마를 바꿔드립니다.

만일 엄마께서 계시지 않으면 '누구라고 전해드릴까요?'라고 질문하고 전화하신 분의 이름을 기록해 두었다가 나중에 엄마께 전해드립니다.

아빠나 오빠에게 걸려온 전화도 이와 같이 합니다.

나는 집에 걸려온 전화를 받고 다른 가족을 바꿔줄 수 있습니다.

만일 전화를 받아야 할 가족이 집에 계시지 않을 때는 잘 메모해 두었다가 이야기를 전해드릴 수도 있습니다.

전화

1-10-2. 내 친구와 전화를 합니다.

집에서 전화벨이 울리면 우리 가족들은 전화를 받습니다.

때로는 내가 전화를 받을 수도 있습니다.

전화를 받을 때는 '여보세요'라고 합니다.

만일 그 전화가 내게 걸려온 친구의 전화라면 나는 친구와 함께 전화로 이야기합니다.

먼저 친구의 이야기를 잘 듣고 친구의 질문이나 이야기에 대답을 합니다.

전화를 마칠 때는 '안녕, 잘 있어' 라고 인사를 하거나 '그만 끊을게' 라고 이야기합니다.

나는 내 친구에게서 걸려오는 전화를 받고 친구와 다정하게 이야기 할 수 있습니다.

전화

1-10-3. 엄마 아빠께 전화 드립니다.

나는 학교를 마친 후 바로 집에 갈 수 없는 일이 생기게 될 때 부모님께 전화를 드리게 됩니다.

전화를 할 경우에는 다음과 같이 합니다.

먼저 우리 집 전화번호를 기억하여 숫자를 순서대로 누릅니다.

우리 집 전화번호를 잘 기억하지 못할 때는 주위의 어른이나, 선생님, 친구의 도움을 받아 전화번호를 누를 수 있습니다.

숫자를 순서대로 누른 후, 신호음이 울리는 것을 들으며 상대방이 전화를 받기 기다립니다.

신호음 울리는 것이 멈추고, 누군가가 전화를 받아 '여보세요'라고 말하면,

나는 '엄마, 저 000예요'라고 말하며 엄마께 전화 건 이유를 말씀드립니다.

주로 집에 늦게 가게 된 일과 그 이유를 말씀드리게 되겠지요.

그렇게 내 이야기를 말씀드린 후 부모님의 이야기를 잘 듣고 '네, 알겠습니다. 그렇게 하겠습니다.'하고 전화를 끊습니다.

나는 학교에서 늦게 집으로 돌아가게 되거나 친구와 갑자기 약속이 생길 때

부모님께 전화를 드릴 수 있습니다.

전화

1-10-4. 선생님께 전화 드립니다.

나는 우리 집이 아닌 다른 곳에도 전화를 걸 수 있습니다.

친구의 집이나, 친척 집, 또는 음식점에도 전화를 걸 수 있습니다.

전화를 걸 때는 전화하고자 하는 곳의 전화번호를 기억하여 숫자를 순서대로 누릅니다.

전화번호를 잘 알지 못할 때는 부모님이나, 선생님, 친구가 불러주는 번호를 순서대로 누를 수도 있습니다.

숫자를 순서대로 누른 후, 신호음이 울리는 것을 들으며 상대방이 전화를 받기 기다립니다.

신호음 울리는 것이 멈추고, 누군가가 전화를 받아 '여보세요'라고 말하면,

나는 '여보세요.'라고 말한 후, 전화를 건 이유를 이야기합니다.

전화를 걸었을 때는 내 생각만 이야기하지 않고, 상대편이 하는 이야기도 잘 듣습니다.

나와 상대방의 이야기가 끝나면 '그만 끊을게요'라고 말하며 전화를 마칩니다.

나는 친구 집에 전화해서 친구와 이야기를 할 수 있습니다.

할머니 댁이나 이모 집 등에도 전화를 걸어서 전화로 이야기를 나눌 수도 있습니다.

이웃의 방문

1-11-1. 누구인지 확인 후 문을 열어 줍니다.

우리 집 인터폰은 자주 울립니다.

아빠가 퇴근하고 오실 때에도 울리고, 세탁소 아저씨께서 세탁하신 옷을 가져오실 때도 울립니다.

때로는 낯선 사람들이 오실 때에도 인터폰이 울립니다.

인터폰 소리는 누군가가 우리 집에 오셨다는 것입니다.

인터폰이 울릴 때 우리 식구들은 인터폰을 들고 '누구세요?'라고 먼저 이야기합니다.

그래서 상대편이 누구인지 확인이 되고 잘 아는 사람이면 문을 열어줍니다.

내가 잘 모르는 사람이 오시면 어머니께 말씀드립니다.

만일, 집에 아무도 없을 때 모르는 사람이 인터폰을 하시면 '다음에 오시겠어요?'라고 말씀드립니다.

나는 우리 집 인터폰이 울리면 누구인지를 확인한 후에 문을 열어주겠습니다.

1-11-2. 이웃 어른이 우리 집에 오셨습니다.

우리 집에 이웃집 아주머니께서 놀러 오셨습니다.

아주머니께서 우리 집에 오시면 나는 '안녕하세요?'하고 인사를 합니다.

아주머니께서 놀러 오셨을 때 어머니는 아주머니와 차를 마시며 이야기를 나눕니다.

이야기를 나누는 동안 큰 소리로 웃으실 수도 있습니다.

그동안 나는 내가 해야 할 일을 합니다.

조용히 장난감 놀이를 하거나 그림을 그립니다.

여러 가지 숙제를 하기도 합니다.

만일 어머니께 이야기할 일이 있으면 '엄마, 제가 할 말이 있는데요.'라고 먼저 말씀드린 후 이야기합니다.

아주머니께서 가실 때에는 '안녕히 가세요'라고 인사를 합니다.

나는 이웃집 아주머니께서 우리 집에 오실 때 인사를 잘하고 내가 해야 할 일들을 합니다.

이웃의 방문

1-11-3. 집에 손님이 오셨습니다.

우리 집에는 가끔 손님이 오십니다.

내가 모르는 사람들이 올 수도 있지만, 괜찮아요.

부모님은 그분이 누구인지 나에게 소개해주실 거에요.

대개 엄마나 아빠의 친구이거나 친척이지요.

손님들은 잠깐 머물다 가신답니다.

식사를 드시거나 차를 마시고 가시지요.

부모님은 손님들과 큰 소리로 이야기도 하고 큰 소리로 웃을 수도 있습니다.

그렇게 큰 소리로 이야기하고 웃는 것은 매우 즐겁다는 뜻입니다.

나는 어른들이 즐겁게 지내실 수 있도록 학교 숙제를 하거나 내가 좋아하는 놀이를 하면서 지낼 수 있습니다.

손님이 오시는 날, 나는 즐거운 마음으로 지낼 수 있습니다.

1-11-4. 우리 집에서 어른들이 모여 회의를 합니다.

오늘은 우리 집에서 동네 어른들의 모임이 있는 날입니다.

이 모임은 우리 마을(아파트)에 사는 여러 어른들이 모여서 이야기를 나누기 위한 것입니다.

이날 우리 집에는 많은 이웃 사람들이 오십니다.

그렇게 많은 사람들이 오실 때 나는 '안녕하세요?'라고 인사를 잘합니다.

때로는 너무 많은 사람이 우리 집에 오셔서 내 마음이 불편하고 힘들 수도 있습니다.

그렇지만 그분들은 우리 집에 잠깐 동안만 계시게 될 것이기 때문에 그동안 잘 참고 기다립니다.

이웃분들은 우리 집에서 한 시간 정도 계신 후에 바로 돌아가시게 됩니다.

이웃분들이 우리 집에 계시는 동안 나는 그림을 그리거나 장난감 놀이를 하면서 기다립니다.

나는 우리 집에서 반상회를 하는 동안 조용히 기다리며 내 할 일을 합니다.

이웃의 방문

1-11-5. 내 친구가 놀러왔습니다.

옆집에 사는 내 친구가 우리 집에 놀러 왔습니다.
친구가 놀러 오면 나는 '어서 와, 같이 놀자'라고 인사를 합니다.
그리고는 내 방으로 들어가서 친구와 같이 장난감 놀이를 합니다.
컴퓨터 게임을 할 수도 있지요.
집에서 놀이를 하다가 밖에 나가 놀 수도 있습니다.
그럴 때 나는 부모님께 '밖에 나가서 놀아도 되요?'라고 먼저 여쭤봅니다.
부모님께서 '그래, 놀이터에서 잠깐만 놀다 와라'라고 하시면 밖으로 나가 잠시 놀이를 합니다.
만일 '오늘은 비가 와서 나갈 수 없단다'라고 하시면
내 방에서 계속 놀이를 합니다.
친구와 놀이를 하는 동안에 나는 내 장난감을 친구와 같이 가지고 놉니다.

우리 집에 내 친구가 놀러 온 날 나는 친구와 사이좋게 놀이를 합니다.

1-12-1. 부엌에서 사용하는 도구를 이용합니다.

부엌에는 음식을 하는데 필요한 여러 가지 물건들이 있습니다.

냉장고, 가스레인지, 전자레인지, 식기세척기 등 여러 가지 가전제품들이 있습니다.

이런 물건들은 음식을 하는데 아주 필요하지요.

그렇지만 잘 못 사용해야 합니다.

가스렌지는 불을 사용해야 하기 때문이 사용 후에는 밸브를 잘 잠가야 합니다.

식기 세척기는 설거지를 모두 마친 후에 문을 열어야 합니다.

나는 부엌에 있는 여러 가지 물건들을 조심스럽게 사용하거나 엄마께 여쭤보면서 사용합니다.

1-12-2. 가족들과 식사를 합니다.

식사 시간이 되면 엄마께서는 부엌에서 맛있는 요리를 하십니다.
엄마께서 계시지 않을 때에는 아빠나, 언니, 또는 할머니께서 요리를 할 수도 있습니다.
엄마께서는 된장찌개를 끓이고, 계란프라이를 하고, 김치도 썰어 접시에 담고 식사 준비를 하십니다.
나는 때로 엄마를 도와 준비된 음식을 식탁에 올려놓기도 하고,
숟가락과 젓가락의 짝을 맞추어 식탁에 놓기도 합니다.
식사준비를 도울 때에는 뜨거운 밥솥이나 뜨거운 국물을 조심합니다.
식사 준비가 끝난 후 가족이 모두 식탁에 둘러앉습니다.
어른이신 아빠께서 먼저 식사를 시작하신 후 우리들은 식사를 시작합니다.
식사를 시작하기 전에 '잘 먹겠습니다.'하고 인사를 합니다.
그리고 식탁에 있는 음식들을 가리지 않고 골고루 먹습니다.

나는 식사준비를 돕고, 식사예절을 지키며 가족들과 식사를 할 수 있습니다.

1-12-3. 식사 후에는 이렇게 합니다.

식사예절을 지켜 식사를 마친 후에는 '잘 먹었습니다.'하고 인사를 합니다.
내가 사용한 그릇과 숟가락 젓가락은 싱크대에 정리를 합니다.
정리를 할 때에는 그릇이 깨지지 않도록 조심합니다.
나는 식사를 마쳤지만, 다른 가족들은 아직도 식사를 하고 있기도 합니다.
모든 가족이 식사를 마친 후 어머니께서 식탁을 치우실 때 돕기도 합니다.
엄마께서 주시는 반찬, 찌개, 물병을 냉장고에 넣기도 하고,
엄마를 도와 설거지를 하기도 합니다.
나는 맛있는 식사를 마친 후에 식탁 정리를 할 수 있습니다.

우리집 거실과 부엌

1-12-4. 모든 가족이 편안하고 즐겁게 지냅니다.

거실은 가족들이 함께 모이는 공간입니다.
거실에서는 우리 가족은 이렇게 지냅니다.
저녁 식사 후에 과일이나 차를 마시면서 이야기를 나눕니다.
텔레비전을 보기도 합니다.
가족들과 재미있는 게임을 할 수도 있습니다.
이렇게 거실은 우리 가족이 모두 함께 사용하는 곳입니다.
그렇기 때문에 내가 보고 싶은 텔레비전 프로그램을 계속 보기보다는 다른 식구들과 함께 볼 수 있는 것을 봐야 합니다.
아빠께서 보고 싶어 하시는 뉴스를 볼 수도 있습니다.
엄마께서 보고 싶어 하시는 드라마를 볼 수도 있습니다.
텔레비전을 보는 동안 너무 시끄러운 소리가 나지 않도록 해야 합니다.

거실에서 가족들과 이야기를 나눌 때에는 텔레비전을 끄기도 합니다.
나는 거실에서 가족들과 함께 차를 마시면서 이야기를 나누거나, 게임을 하거나 텔레비전을 볼 수 있습니다.

우리집 목욕탕

1-13-1. 세수와 양치질을 합니다.

목욕탕에서 나는 세수를 하고 양치질을 합니다.

세수를 할 때는 얼굴에 충분히 물을 묻힌 후에 비누질을 합니다.

목과 귀도 깨끗이 씻어야 합니다.

양치질도 깨끗이 합니다.

세수와 양치질을 하는 동안 나는 목욕탕 주변에 물이 많이 튀기지 않도록 조심합니다.

목욕탕은 우리 가족 모두가 사용하는 곳이므로 다른 사람이 사용할 때 기분 좋을 수 있도록 깨끗이 사용합니다.

나는 목욕탕에서 세수와 양치질을 잘 할 수 있습니다.

그리고 깨끗이 사용할 수 있습니다.

우리집 목욕탕

1-13-2. 샤워를 할 때는 이렇게 합니다.

목욕탕에서 샤워를 할 때 다른 식구들이 보지 않도록 목욕탕 안에서 옷을 벗어야 합니다.
옷을 벗은 후에는 샤워기로 몸 전체에 물을 묻힌 후 몸 전체에 비누칠을 골고루 합니다.
샤워기의 물의 온도는 뜨겁지 않도록 적당한 온도로 잘 맞추어 사용합니다.
다음에는 샤워기로 몸에 있는 비눗물을 없애도록 합니다.
깨끗이 씻은 후에는 물기가 남아있지 않도록 수건으로 몸을 잘 닦아야 합니다.
나는 목욕탕에서 샤워를 깨끗이 합니다.

나의 방

1-14-1. 내 방을 설명합니다.

내 방은 내가 사용하는 곳입니다.

내 방안에는 나의 물건들이 있지요.

내 침대, 내 책상, 내 의자, 내 옷장 등이 있지요.

책상에는 내 책과 필통 등 여러 가지 물건이 있답니다.

내 방의 책상의 위치를 때때로 바꿀 수 있습니다.

내 침대도 위치가 바뀔 수 있습니다.

내 물건을 다른 가족들이 사용할 수도 있지요.

그래서 내가 둔 곳에 내 물건이 없을 수도 있습니다.

그럴 때 나는 이렇게 이야기합니다.

'혹시 누가 내 지우개 썼나요? 책상 위에 없는데 찾아봐 주세요.'라고 말이지요.

나는 내 방의 물건들을 잘 정리하고 다른 가족들도 함께 사용할 수 있다고 생각합니다.

나의 방

1-14-2.공부를 합니다.

학교에 다녀온 후 내 방에서 숙제를 하거나 여러 가지 공부를 할 수 있습니다.

이렇게 공부할 때 나는 내 책상에 앉아서 공부합니다.

때로는 피곤하고 침대에 눕고 싶지만 그래도 책상에 바르게 앉아서 공부합니다.

아주 피곤할 때는 잠시 쉬었다가 다시 책상에 앉을 것입니다.

나는 내 방에서 숙제를 하거나 여러 가지 공부를 할 때 책상에 바르게 앉아서 할 것입니다.

1-14-3. 놀이를 합니다.

나는 내 방에서 여러 가지 놀이를 합니다.
내가 좋아하는 블록 놀이를 할 수도 있지요.
친구들과 소꿉놀이를 할 수도 있습니다.
그럴 때 나는 내 방에서 재미있게 놀이를 합니다.
놀이를 마친 후에는 내가 가지고 논 여러 가지 놀잇감들을 잘 정리합니다.
그래야 다음에 놀이할 때 잘 가지고 놀 수 있으니까요.
나는 내 방에서 여러 가지 재미있는 놀이를 하고 놀이를 마친 후에는 정리를 잘합니다.

2부

이웃과 지역사회

1장. 우리 동네

2장. 교통수단과 새로운 장소

1. 우리 동네

2-1. 이웃

158 · 이웃 어른들께 인사를 합니다.

160 · 친구 집에 놀러가려면 부모님께 허락을 받아야 합니다.

162 · 친구 집에 놀러갔습니다.

164 · 엄마 심부름을 합니다.

166 · 택배가 왔습니다.

168 · 엘리베이터를 이용합니다.

170 · 복도와 계단을 이용합니다.

172 · 주차장을 지날 때는 차를 조심합니다.

2-2. 내가 이용하는 가게

174 · 문구점에서 필요한 학용품을 구입합니다.

176 · 서점에서 책을 구입합니다

178 · 부모님 심부름으로 가게에서 물건을 삽니다.

180 · 햄버거를 주문합니다.

182 · 머리카락을 자릅니다.

184 · 대중목욕탕을 이용합니다.

2-3. 공공시설

186 · 도서관을 이용합니다.

188 · 공중화장실을 찾아 이용할 수 있습니다.

190 · 공중화장실을 이용할 때는 이렇게 합니다.

192 · 에스컬레이터를 이용합니다.

2-4. 병원

194 · 병원에 갑니다.

196 · 여러 가지 병원이 있습니다.

198 · 주사를 맞아요.

200 · 치과에 갑니다.

2. 교통수단과 새로운 장소

2-5. 교통수단과 교통 규칙

202 · 버스를 이용합니다.

204 · 지하철을 탑니다.

206 · 학교 버스를 탑니다.

208 · 학교 버스 안에서는 이렇게 지냅니다.

210 · 횡단보도를 건넙니다.

2-6. 놀이공원

212 · 재미있는 놀이기구를 탑니다.

214 · 놀이기구를 탈 때는 안전장치를 합니다.

216 · 놀이기구를 타기 위해 줄을 서서 기다립니다.

2-7. 관람

218 · 영화를 봅니다.

220 · 운동경기를 관람합니다.

2-8. 가족여행

222 · 가족들과 여행을 갑니다.

2-1-1. 이웃 어른들께 인사합니다.

우리 집 주변에서 어른들을 만날 때가 있습니다.
내가 만나는 어른들은 앞집이나 윗집 아주머니나 아저씨
경비아저씨, 세탁소 아저씨 등등 여러 분들입니다.
이웃 어른을 만나면 나는 "안녕하세요?"라고 인사를 합니다.
내가 인사를 하면 어른들은 반가워하십니다.
반갑게 웃으며 인사하는 것은 모든 사람의 기분을 좋게 만듭니다.

나는 이웃 어른들을 만나면 반갑게 인사를 하겠습니다.

2-1-2. 친구 집에 놀러가려면 부모님께 허락을 받아야 합니다.

나는 친구 집에 놀러 가고 싶을 때가 있습니다.
친구 집에 놀러 가고 싶을 때에는
친구에게 “너희 집에 놀러 가도 되니?”라고 물어봐야 합니다.
친구가 “놀러 와”라고 말할 수도 있고, “안 돼”라고 말할 수도 있습니다.
친구가 “놀러 와”라고 말한다면 친구 집에 놀러 갈 수 있습니다.
친구가 초대를 해준다면 나는 매우 즐겁겠지요.

친구 집에 놀러 가려면 친구와 함께 언제 놀러 갈지 약속을 정합니다.
그리고 부모님께 “___ 집에 놀러 가기로 했어요”라고 말씀드리고 허락을 받아야 합니다.
내가 부모님 허락 없이 친구 집에 놀러 간다면 부모님께서는 내가 어디 있는지 알지 못해서 매우 걱정하십니다.

나는 친구 집에 놀러가기 전에

1. 친구에게 놀러가도 되는지 물어본 후 친구가 초대해주면
2, 부모님의 허락을 받겠습니다.

그리고 친구 집에 놀러가겠습니다.

우리 동네

2-1-3. 친구 집에 놀러갔습니다.

나는 친구가 초대해주어 친구 집에 놀러 갑니다.
친구 집에 놀러 가기 전에 먼저 나의 부모님께 허락을 받아야 합니다.

친구 집에 가면 친구 부모님께 "안녕하세요"라고 인사를 드리지요.
나는 친구와 함께 책을 보거나, 게임을 하거나 숙제를 할 수 있습니다.
친구 집에서 친구와 함께 노는 것은 참 즐거운 일입니다.
친구 엄마께서 맛있는 간식을 주시면 "잘 먹겠습니다."라고 인사드린 후 친구와 맛있게 간식을 먹습니다.
친구와 즐겁게 놀고 난 후, 부모님과 집으로 가기로 한 시간이 되면 바로 집으로 가야 합니다.
친구와 노는 시간은 늘 즐겁기 때문에 아쉬운 마음이 들 수도 있습니다.
그렇지만 다음에도 또 놀 수 있습니다.

친구와 즐겁게 놀고 난 후 집으로 가야 할 시간이 되면
친구에게 "신나게 잘 놀았어. 고마워. 담에 또 놀자."라고 인사하고
집으로 갑니다.

우리 동네

2-1-4. 엄마 심부름을 합니다.

어머니께서는 나에게 이웃집에 가는 심부름을 시키십니다.

어머니께서는 “○○집에 이것 좀 갖다 드리고 와라.” 고 말씀하십니다.

그러면 나는 이웃집에 심부름을 갑니다.

이웃집에 도착하면, 초인종을 누릅니다.

아주머니께서 나오시면, “안녕하세요.” 라고 인사를 드립니다.

그리고 “어머니께서 이거 갖다 드리래요.”라고 말씀드리고,

가지고 온 물건을 전해드립니다.

그러면 아주머니께서는 “고맙다.”라고 말씀하실 거에요.

나는 “안녕히 계세요”라고 인사를 드리고, 집으로 돌아옵니다.

나는 심부름을 잘 할 수 있습니다.

2-1-5. 택배가 왔습니다.

우리 집에는 여러 가지 물건이 택배로 옵니다.

택배는 인터넷이나 전화로 필요한 물건을 주문하면 직접 우리 집까지 배달해주는 것입니다.

택배로 오는 물건에는 옷이나 음식, 휴지 등등 우리 집에서 자주 사용하는 물건입니다.

엄마나 아빠께서는 전화나 인터넷으로 우리 가족들이 사용해야 할 물건을 주문하신답니다.

그리고 하루나 이틀 정도 기다리면 주문한 물건이 배달되지요.

물건은 대개 택배 아저씨께서 배달해주십니다.

주문한 물건을 기다리는 일은 매우 즐겁습니다.

택배 아저씨께서 우리가 주문한 물건을 가져다주시면 우리는 “감사합니다.”라고 인사드립니다.

그리고 주문한 물건을 천천히 열어보고 나에게 필요한 물건이라면 기쁜 마음으로 잘 사용합니다.

2-1-6. 엘리베이터를 이용합니다.

우리 집으로 가기 위해

엘리베이터를 타고 싶을 때는 입구에 있는 버튼(▼▲)을 누릅니다.

올라가고 싶을 때는 올라가는 버튼(▲)을 누르고,

내려가고 싶을 때는 내려가는 버튼(▼)을 누릅니다.

버튼을 누른 후 엘리베이터가 오기를 기다립니다.

엘리베이터가 도착하면, 나는 사람들이 내린 후 엘리베이터를 탑니다.

기다리면 엘리베이터 문은 곧 닫힙니다.

나는 가고 싶은 층의 숫자 버튼을 누릅니다.

엘리베이터에서 어른들을 만나면 "안녕하세요?"라고 반갑게 인사합니다.

내가 먼저 인사하면 어른들이 매우 기뻐하십니다.

그리고 엘리베이터 안에서는 조용히 문이 열릴 때까지 기다립니다.

내가 가고자 하는 층에 도착하면 엘리베이터 문이 완전히 열린 후에 내립니다.

나는 안전하게 엘리베이터를 이용하겠습니다.

2-1-7. 복도와 계단을 이용합니다.

우리 집 주변을 다니다 보면 여러 계단과 복도를 지나갑니다.
복도와 계단은 많은 사람들이 이용하는 장소입니다.
복도와 계단에서 이웃 어른을 만나면 즐겁게 인사합니다.
사람들이 서로 만나서 인사하는 것은 매우 즐거운 일입니다.
그리고 복도와 계단에서는 다른 사람들에게 방해가 되지 않도록 조심조심 다닙니다.
다른 사람을 배려하는 행동은 모두를 편안하게 할 수 있습니다.

나는 복도와 계단에서 다른 사람들을 배려하며 다니겠습니다.

2-1-8. 주차장을 지날 때는 차를 조심합니다.

집 주변에는 많은 차가 주차되어 있습니다.
차가 주차되어 있다면 그 차가 움직일 수도 있다는 뜻도 포함됩니다.
예를 들어, 내 눈에는 안 보이지만 차에 운전자가 있어서 그 차를 이용하려 할 수도 있습니다.
주차된 장소를 지나야 한다면 차의 움직임을 주의해서 살펴보아야 합니다.
차는 우리가 가고 싶은 곳을 데려다 주는 매우 고마운 교통수단이지만
때로는 위험할 수도 있습니다.

주차된 곳을 지나야 할 경우
나는 차의 움직임을 잘 살피면서 지나가겠습니다.

내가 이용하는 가게

2-2-1. 문구점에서 필요한 학용품을 구입합니다.

학교에서 집으로 돌아오는 길이나 우리 아파트 상가에는 문구점이 있습니다.
문구점에는 내가 좋아하는 여러 가지 학용품이 많이 있습니다.
공책, 연필, 종이, 크레파스, 물감과 같은 학용품들이 있습니다.
나는 여러 가지 색이 있는 색연필이나 색종이를 사고 싶습니다.
문구점에서 물건을 사기 위해서 나는 꼭 필요한 물건인지, 꼭 사야 하는 물건인지 잘 생각해봅니다.
그리고 내가 가진 돈으로 살 수 있는 값인지도 알아봐야겠지요.

문구점에서 필요한 학용품을 사야 한다면 이렇게 합니다.

1. 먼저 부모님께 말씀드리고
2. 필요한 학용품 구입에 적절한 돈을 받아 문구점에 갑니다.
3. 문구점에 가서 필요한 물건을 구입합니다.

나는 문구점에서 필요한 학용품을 구입할 수 있습니다.

2-2-2. 서점에서 책을 구입합니다.

우리 학교 앞에는 책을 살 수 있는 작은 서점이 있습니다.
그 서점의 이름은 “초록 책방”입니다.
서점 안에는 내가 읽고 싶은 많은 책이 있습니다.
나는 서점에 가서 여러 책을 구경하고
때로는 조용히 책을 읽을 수도 있지요.
책을 읽는 것은 매우 즐거운 일입니다.
책 속에는 내가 알지 못하는 많은 이야기가 들어있기 때문입니다.
그리고 꼭 사고 싶은 책이 있으면 내 용돈으로 사거나 부모님께 부탁드려 책을 살 수 있습니다.
부모님께서도 내가 책 읽는 모습을 아주 기뻐하신답니다.

나는 서점에 가서 내가 읽고 싶은 책을 골라 읽거나 책을 구입할 수 있습니다.

2-2-3. 부모님 심부름으로 가게에서 물건을 삽니다.

나는 물건을 사는 심부름을 하러 갈 때가 있습니다.

부모님께서는 사 와야 하는 물건 이름을 써 주실 거예요.

나는 물건 이름이 적힌 종이와 돈을 가지고 가게에 갑니다.

가게에 가서 사야 하는 물건을 찾습니다.

찾는 물건이 안 보이면, 가게 점원께"○○를 사야 하는데 찾아주시겠어요?"라고 여쭤볼 수 있어요.

그러면 가게 점원께서 물건을 찾아주실 거예요.

심부름으로 사야 하는 물건을 찾으면 돈을 내고, 물건과 잔돈, 영수증을 받아서 집으로 돌아옵니다.

심부름을 잘하면, 부모님께서는 나를 칭찬해 주실 거에요.

그리고 내가 많이 컸다고 기뻐하신답니다.

나는 부모님 심부름으로 가게에서 물건을 살 수 있습니다.

내가 이용하는 가게

2-2-4. 햄버거를 주문합니다.

나는 햄버거를 먹기 위해 햄버거 가게에 왔습니다.
햄버거를 주문해서 먹으려면 다음의 순서대로 할 수 있습니다.

· 줄을 서서 기다립니다.
· 기다리는 동안 메뉴판을 보면서 내가 먹고 싶은 햄버거를 정합니다.
· 햄버거를 주문하고 돈을 냅니다.
· 잠시 기다린 후 내가 주문한 햄버거가 나오면 쟁반에 받아옵니다.
· 필요한 경우에는 휴지와 빨대 등을 챙깁니다.
· 빈자리를 찾아 자리에 앉아서 햄버거를 맛있게 먹습니다.
· 다 먹은 후에는 휴지통에 휴지를 버리고 쟁반은 쟁반을 놓는 곳에 정리해 둡니다.

햄버거를 주문하는 동안 때로는 오래 기다려야 할 수도 있답니다.
사람들이 많이 있기 때문이지요.
오래 기다리는 것은 힘들지만 그래도 기다려서 주문을 해야 맛있는 햄버거를 먹을 수 있기 때문에 잘 참고 기다릴 수 있습니다.
나는 햄버거를 잘 주문해서 먹을 수 있답니다.

2-2-5. 머리카락을 자릅니다.

머리에서는 머리카락이 자랍니다.

매일 조금씩 자라지요.

그래서 가끔은 잘라줘야 합니다.

사람들은 머리카락을 줄여서 머리라고 말하기도 해요.

그래서 머리를 자른다는 것은 머리카락을 자른다는 뜻이 됩니다.

머리를 자르기 위해 미장원(이발소)에 갑니다.

미장원(이발소)에 가면 아줌마나 아저씨가 내 머리를 만집니다.

다른 사람이 내 머리를 만지는 것은 약간 불편할 수 있지만 괜찮습니다.

나를 단정하고 예쁘게 해주시기 위해서 머리카락을 자르는 것이기 때문입니다.

머리를 자르기 위해서 내 목둘레와 옷 위로 커다란 보자기를 둘러주지요.

그 보자기 때문에 목 부분이 조금 조여도 괜찮아요.

내 옷에 머리카락이 묻는 것을 막아주기 위한 것이기 때문입니다.

미용사는 가위나 면도기를 이용해 머리카락을 잘라주십니다.

가위가 날카롭지만 괜찮습니다.

미용사(이발사)는 내 머리를 안전하게 내 머리를 잘라주실 거에요.

가끔 윙 소리가 나기도 하지만 아프지 않아요.

자른 머리카락이 얼굴에 묻어 따가울 수도 있지만 끝나고 털어주시면 괜찮을 거에요.

머리를 자른 후에는 머리를 감겨주실 수 있습니다.

이렇게 머리를 다 자르고 머리를 감은 후 드라이기로 머리를 말리고 나면

나는 멋지게 변해 있을 거에요.

가끔은 다 자른 머리 모양이 어색할 수도 있지만 괜찮습니다.

머리는 또 금방 자라니까요.

나는 미장원에서 머리카락을 예쁘게 자르겠습니다.

2-2-6. 대중목욕탕을 이용합니다.

대중목욕탕은 다른 사람들과 함께 목욕을 하는 곳이에요.
대중목욕탕을 이용하려면 다음과 같은 규칙을 지켜야 합니다.

- 탕 속에 들어가려면 먼저 탕 밖에서 옷을 벗어 옷장에 넣고 열쇠로 문을 잘 잠가야 합니다.
- 내 옷장을 열쇠를 잃어버리지 않기 위해 열쇠를 내 팔목이나 발목에 끼워둡니다.
- 목욕실 안으로 들어가서는 목욕탕 안에 들어가기 전에 샤워를 합니다.
- 탕 속에 몸을 담급니다.
- 탕에서 나와 몸을 씻습니다.
- 목욕탕 바닥은 미끄러울 수 있으므로 조심 다닙니다.
- 목욕을 다 하면 수건으로 닦고 밖으로 나가요.

이처럼 대중목욕탕에서 목욕을 하는 동안 규칙을 지킨다면
모두가 즐겁게 목욕을 할 수 있습니다.
다른 사람들과 같이 목욕을 하는 것이 어색할 수 있습니다.
그러나 곧 익숙해질 수 있습니다.

목욕을 하고 나면 깨끗해지고 기분이 좋아집니다.

2-3-1. 도서관을 이용합니다.

나는 엄마와 함께 혹은 내 친구들과 함께 우리 동네에 있는 도서관에 갑니다.
도서관에는 많은 책이 있어서 책을 볼 수 있습니다.
재미있는 영화를 볼 수도 있습니다.
도서관에서 책을 보려면 먼저 내가 보고 싶은 책을 골라서 소파나 의자에 앉아 조용히 책을 읽습니다.
영화를 보고 싶을 때에도 영화를 잘 골라서 조용히 영화를 봅니다.
도서관에서 책을 보거나 영화를 보는 일은 참 즐겁고 편안합니다.

책을 읽다가 집에 가지고 가서 더 읽고 싶으면 도서관에 있는 사서님께 책을 빌리겠다고 말씀드리고 집으로 가져갑니다.
빌려 간 책은 집에서 소중히 읽고
반납해야 하는 날에 다시 도서관에 가서 반납합니다.

나는 도서관에 가서 책을 보거나 영화를 볼 수 있습니다.

2-3-2.공중화장실을 찾아 이용할 수 있습니다.

나는 학교나 집이 아닌 곳을 다닐 때 화장실에 가고 싶을 수 있습니다.
그럴 땐 내가 지금 있는 곳 주변에 있는 화장실에 가야 합니다.

예를 들어 지하철을 타러 간다면 지하철을 타기 전에 화장실에 다녀와야 합니다.
만일 내가 화장실을 쉽게 찾을 수 없다면 가까이에 있는 사람에게
“실례지만, 근처에 화장실이 어디 있지요?” 라고 물으면 가르쳐 줄 것입니다.
그 사람이 모른다고 하면 다른 사람한테 물어볼 수도 있어요.

집 밖의 화장실을 공중화장실이라고 해요.
공중화장실을 이용하려면 먼저 온 다른 사람들이 이용하도록 줄을 서 있다가 내 차례가 되면 들어갑니다.
어떤 때는 공중화장실의 변기가 우리 집 변기와 달라 약간 당황스러울 수 있습니다.
그러나 괜찮습니다.

공중화장실에서도 집에서처럼 일을 보고 휴지로 닦고, 손을 깨끗이 씻고 나옵니다.
나는 집 밖에서도 화장실을 잘 이용할 수 있습니다.

2-3-3. 공중화장실을 이용할 때는 이렇게 합니다.

공중화장실을 이용하려면 변기 앞에 문을 꼭 잠가야 합니다.

가끔은 내가 변기에 앉아 있는데 누가 문을 두드리기도 해요.
화장실 밖에서 문을 두드리는 것을 노크라고 하는데 이것은 안에 사람이 있나 없나를 확인하려는 것입니다.
누가 두드리면 나도 같이 문을 똑똑 두드리면 됩니다.
그것은 내가 안에 있다는 표현이에요.
그래도 계속 두드리면 "안에 있어요"라고 크게 말하면 됩니다.

나도 화장실에 줄이 없으면 들어가기 전에 문을 똑똑 두드려 봐요.
안에 사람이 없는 것을 확인하고 들어가지요.

공중화장실은 여러 사람이 함께 사용하는 곳이라서 지킬 약속들이 있어요.
나는 그 약속들을 잘 지킨답니다.

2-3-4. 에스컬레이터을 이용합니다.

우리는 종종 에스컬레이터를 이용합니다.

지하철을 탈 때도 이용하고 마트에 갈 때도 이용하지요.
에스켈레이터는 참 고맙습니다.
왜냐하면 우리가 힘들게 계단을 오르내리지 않도록 도와주기 때문입니다.

에스컬레이터를 탈 때는 손잡이를 꼭 잡고 타는 것이 안전합니다.
에스컬레이터가 도착하면 발을 옮겨 에스컬레이터에서 내립니다.
에스컬레이터를 이용할 때는 안전하게 이용하는 것이 중요하지요.

나는 에스컬레이터를 안전하게 이용하겠습니다.

2-4-1. 병원에 갑니다.

나는 아주 가끔 병원에 갑니다.
병원에 가는 것은 내가 아프기 때문이지요.
온몸에서 열이 나서 몸 전체가 아플 수도 있고 배가 아프거나 머리가 아플 수도 있답니다.
놀이터에서 놀다 다쳐서 병원에 가야 할 수도 있지요.
병원에 가는 것은 약간 무서운 느낌이 듭니다.
그렇지만 병원에 가야 아픈 것이 사라질 수 있기 때문에 조금 무서워도 참고 병원에 갈 수 있습니다.
병원에 가서 차례를 기다리면 의사 선생님을 만나게 됩니다.
의사 선생님은 나한테 어디가 아프냐고 질문을 하실 수 있습니다.
나는 의사 선생님의 질문에 잘 대답할 수 있습니다.
의사 선생님은 내 배와 등에 청진기를 대기도 하십니다.
청진기는 내 몸속이 어떤지 알아보는 기구입니다.
내 몸에 청진기를 대는 것은 아프지 않기 때문에 잘 참을 수 있습니다.
필요한 경우에는 내 입속을 살펴보기도 하시지요.

의사 선생님은 내 몸을 진찰하신 후에 주사를 맞아야 한다고 말씀하시거나 어떤 약을 먹어야 하는지 처방해 주십니다.

나는 진찰 받은 후에 주사를 맞고, 병원에서 처방해 주신 약을 약국에서 사서 약을 잘 먹을 수 있습니다.

2-4-2. 여러 가지 병원이 있습니다.

사람들은 몸이 아플 때 병원에 갑니다.
그런데 아픈 곳에 따라가야 하는 병원이 다르답니다.

예를 들어. 이가 아프면 치과에 가야 하지요.
배가 아프면 내과에 갑니다.
눈이 아프면 안과에 갑니다.
감기가 걸리거나 목이 아프면 이비인후과에 갑니다.

아픈 곳이 다르면 가야 하는 병원도 다릅니다.

나는 여러 가지 병원을 알고 있습니다.

2-4-3. 주사를 맞아요.

병원에서 의사 선생님의 진료가 끝나면 주사를 맞습니다.
주사는 엉덩이에 맞기도 하고, 팔에 맞기도 합니다.
대개 간호사 선생님이 주사를 놓아주십니다.
주사를 맞기 전에는 많이 두렵고 무섭습니다.
왜냐하면 주사는 대개 아프기 때문이지요.

그러나 실제로 주사를 맞으면 내가 무서워한 만큼 그렇게 아프지는 않습니다.
그리고 금방 괜찮아집니다.
주사를 맞은 곳을 잠시 동안 누르고 있어야 합니다.

나는 주사를 맞아야 할 때, 조금 무섭고 떨리겠지만 잘 참고 의젓하게 주사를 맞을 수 있습니다.

2-4-4. 치과에 갑니다.

사람들은 이가 아프거나 이를 빼야 할 일이 있을 때 치과에 갑니다.
치과는 이를 치료하는 병원이지요.
나도 가끔 치과에 갑니다.
아프지 않더라도 혹시 이가 상하지 않았는지 검사하러 가기도 하고요.
아픈 이를 치료하러 가기도 합니다.

치과에 가는 것은 약간 두렵습니다.
왜냐하면 아프기도 하고, 이를 치료하는 기계에서 나는 소리도 무섭기 때문이지요.
사람들은 대부분 나처럼 치과를 무서워하지요.
그렇지만 치료를 받고 나면
아프던 이가 나을 수 있기 때문에 치료를 받아야 합니다.

나는 치과에서 치료를 받을 때 잘 참을 수 있습니다.
그리고 의사 선생님이나 간호사 선생님의 설명에 따라 치료를 잘 받을 수 있습니다.

교통수단과 교통규칙

2-5-1. 버스를 이용합니다.

사람들은 어디론가 약간 먼 곳에 가야 할 때 버스를 이용합니다.
버스를 타려면 버스정류장에서 타고자 하는 버스를 기다립니다.
우리가 타야 하는 버스가 오고,
버스 문이 열리면, 차례를 지켜서 천천히 버스를 탑니다.

버스를 탄 후에는 빈자리가 있으면 빈자리에 앉습니다.
자리가 없을 때는 서 있을 수도 있습니다.
서 있을 때는 다른 사람을 방해하지 않을 정도로 약간 떨어져서 서 있어야 합니다.
다른 사람과 너무 가까이 있으면 사람들이 불편해하기 때문이지요.

버스 안에서는 작은 목소리로 이야기를 하거나 조용히 내가 내려야 하는 버스 정류장을 기다립니다.
내가 내려야 하는 정류장에 도착하면
나는 차례차례 버스에서 내립니다.

나는 버스를 이용할 때 예절을 잘 지키겠습니다.

2-5-2. 지하철을 탑니다.

나는 가끔 지하철을 이용합니다.
지하철을 이용하려면 내가 가는 곳이 어디인지 먼저 확인하고 몇 호선을 타야 하는지도 확인해야 합니다.
그리고 일회용 지하철표나 교통카드를 이용하여 지하철 이용요금을 내야 합니다.
일회용 지하철표는 자동판매기에 돈을 넣고, 살 수 있습니다.
나에게 복지카드가 있다면, 돈을 내지 않고, 표를 받을 수 있어요.
표를 파는 분에게 복지카드를 보여주면 표를 주신답니다.

지하철을 탈 때는 내가 가고자 하는 방향에 맞는 쪽으로 가서 타야 합니다.
어느 방향으로 가야 할지 모를 때에는 역무원 아저씨께 물어보면,
가르쳐 주실 거에요.
지하철 입구에서 표를 넣거나, 카드를 대면 타는 곳으로 들어갈 수 있어요.
지하철을 타는 승강장에 가면 노란선 안쪽에서 기다려야 합니다.
지하철이 오면 나는 천천히 줄을 서서 지하철을 탑니다.

지하철을 타면 빈자리를 찾아 앉을 수도 있고,
빈자리가 없을 때에는 손잡이를 잡고 서 있을 수도 있습니다.
지하철 안에는 많은 사람들이 있습니다.
그러므로 다른 사람들과 약간 떨어져 서 있으려고 노력해야 합니다.
그리고 다른 사람들에게 방해가 되지 않도록 조용히 있어야 합니다.

그리고 안내 방송에 따라 내가 내려야 하는 역에서 내릴 수 있습니다.

나는 내가 가야 하는 곳까지 안전하게 지하철을 이용하여 갈 수 있습니다.

2-5-3. 학교 버스를 탑니다.

나는 학교를 갈 때 학교버스를 이용합니다.
아침에 우리 집 근처 정해진 곳에서 학교버스를 기다립니다.
학교버스는 정해진 시간에 도착합니다.
학교버스는 차가 밀려서, 조금 늦게 도착할 수도 있습니다.
그러면 나는 버스정류장에서 학교버스를 기다립니다.
버스를 기다리는 동안 지루할 경우를 대비해서 음악을 듣거나 가벼운 책을 읽을 수 있습니다.

나는 학교에 가기 위해 정해진 장소에서 학교버스를 잘 기다릴 수 있습니다.

2-5-4. 학교 버스 안에서는 이렇게 지냅니다.

학교버스를 타면 나는 운전기사 아저씨와 선생님께 인사를 합니다.
친구들과도 반갑게 인사를 합니다.
나는 버스 안에 빈자리에 앉습니다.
내가 앉고 싶은 자리에 다른 친구가 먼저 앉아 있다면,
다른 빈자리에 앉습니다.
자리에 앉으면 가장 먼저 안전벨트를 맵니다.

버스 안에서는 나는 조용히 친구와 이야기를 할 수 있습니다.
조용히 음악을 들으며 바깥 풍경을 바라볼 수도 있습니다.

버스가 학교에 도착하면, 차례차례 조심해서 버스에서 내립니다.
친구들과 버스에서 내리면 담임 선생님께서 우리를 맞이해 주신답니다.

나는 친구들과 함께 안전하게 학교 버스를 이용할 수 있습니다.

2-5-5. 횡단보도를 건넙니다.

사람들은 찻길을 건너가야 할 때가 있습니다.

횡단보도는 찻길을 건너는 사람들을 위해 만들어 놓은 길입니다.

횡단보도 앞에는 신호등이 있습니다.

나는 횡단보도 앞에 가서 먼저 신호등을 확인합니다.

신호등에 빨간불이나 주황색 불이 켜져 있으면

횡단 보도 앞에 서 있어야 합니다.

빨간 불은 멈추세요라는 뜻입니다.

주황색 불도 조심하세요 라는 뜻이지요.

초록색 불은 '건너갈 수 있어요.'라는 뜻이므로 초록색 불이 켜지면 건너갈 수 있습니다.

초록 불이 켜져 있더라도 횡단보도를 건너려면 차가 오는지 오른쪽 왼쪽을 잘 살펴야 합니다.

지나가는 차가 나를 볼 수 있도록 손을 들고 건너기도 합니다.

나는 찻길을 건널 때 신호등을 잘 살피고 손을 높이 들며 안전하게 길을 건너겠습니다.

놀이공원

2-6-1. 재미있는 놀이기구를 탑니다.

우리 가족은 주말에 놀이공원에 가기도 합니다.

놀이공원에는 여러 가지 신나는 놀이기구가 있습니다.

놀이기구들 중에는 타면 몸이 오싹해지며 무서워지는 기구들이 있어요.

어떤 친구들은 그 무서움을 즐기기도 하지요.

그런 놀이 기구를 타며 친구들은 큰소리를 지르기도 한답니다.

나도 그런 놀이기구를 타며 무서움을 즐길 수도 있습니다.

하지만 너무 무서워서 타기 싫다면 타지 않아도 됩니다.

부모님과 함께 탈 수도 있지요.

부모님과 탄다면 무서움이 줄어들 수도 있어요.

놀이공원을 즐겁고, 신나는 곳입니다.

나는 놀이공원에서 신나는 놀이 기구를 탈 수 있습니다.

놀이공원

2-6-2. 놀이기구를 탈 때는 안전장치를 합니다.

놀이기구를 탈 때는 안전장치를 해야 합니다.
놀이기구에 있는 안전장치는 위험한 상황에서 나를 지켜줄 수 있습니다.
안전장치는 나를 꽉 누르기도 하지만 참을 수 있습니다.
2-3분 정도 다 타고나면 바로 안전장치를 풀 수 있습니다.
그러므로 놀이기구를 타는 동안 끝까지 안전장치를 잘 메고 있을 수 있습니다.
안전장치는 나를 안전하게 지켜주기 위해서니까 꼭 해야 하지요.

나는 놀이기구를 타는 동안 나를 지켜주는 안전장치를 잘하고 있을 수 있습니다.

놀이공원

2-6-3. 놀이기구를 타기 위해 줄을 서서 기다립니다.

놀이공원에서 신나는 놀이 기구를 타려면 줄을 서서 기다려야 합니다.
특별히 재미있는 놀이기구 앞에는 보다 많은 사람들이 줄을 서서 기다리지요.
기다리는 시간이 길어지면 다리도 아프고 힘들겠지만 신나게 놀이기구를 탈 생각을 하면서 기다릴 수 있습니다.
기다리는 동안 가족들과 재미난 이야기를 하면서 기다릴 수 있어요.
만일 너무 오랫동안 기다려야 한다면
줄이 짧은 다른 놀이기구를 타러 갈 수도 있습니다.
놀이 공원에는 재미있는 기구들이 많이 있으니까요.

나는 놀이기구를 타기 위해 줄을 서서 기다릴 수 있습니다.

관람

2-7-1. 영화를 봅니다.

오늘은 가족들과 영화관에 내가 좋아하는 만화영화를 보러 갑니다.

영화관에 가면 커다란 화면에서 영화를 볼 수 있습니다.

영화관에서 영화를 보면 텔레비전 화면으로 보는 것보다 더 생생하게 느낄 수 있습니다.

영화가 시작하려면 불이 꺼져야 합니다.

극장에서는 영사기로 빛을 쏘아서 영화를 보여주는 것이기 때문에 밝으면 볼 수가 없어요.

불이 꺼져도 나는 걱정하지 않을 수 있습니다. 영화를 보기 위해서는 그래야 하니까요.

그리고 영화가 끝나면 다시 환하게 불이 켜진답니다.

영화를 보는 동안에는 조용히 영화를 볼 수 있습니다.

그래야 다른 사람들도 영화를 잘 볼 수 있기 때문이지요.

영화관에서 영화를 보는 것은 아주 즐겁고 신나는 일입니다.

나는 가족들과 영화관에서 즐겁게 영화를 볼 수 있습니다.

관람

2-7-2. 운동경기를 관람합니다.

오늘은 가족들과 야구 경기를 보러 갑니다.

야구경기장은 우리 학교 운동장에 비해 매우 넓어요.

사람들도 많고요.

경기장에 모인 많은 사람들은 야구 선수를 응원합니다.

응원하기 위해 큰소리를 지르기도 하고, 노래를 하고, 피리를 불기도 하지요.

응원은 내가 좋아하는 선수나 팀이 이기라고 도와주기 위한 것입니다.

내가 응원하는 편이 이기면 기분이 좋습니다.

경기장에서는 큰 소리를 내는 것은 괜찮아요.

경기장에 가면 나도 즐겁게 응원하겠습니다.

가족여행

2-8-1. 가족들과 여행을 갑니다.

오늘은 우리 가족이 여행을 가는 날입니다.
우리 가족이 여행을 갈 때 엄마나 아빠께서 운전을 하십니다.
우리는 차를 조금 오래 타지요.
차를 타고 가다가 휴게소에서 쉬면서 맛있는 간식을 사 먹기도 합니다.
간식은 참 맛있습니다.
여행지에 도착하면 맛있는 음식도 사 먹고, 여러 가지 신기한 것들을 구경합니다.
저녁이 되면 우리 가족은 새로운 장소에서 잠을 자게 됩니다.
내 방도 아니고 내 침대도 아니지만 그래도 괜찮습니다.
가족들과 함께 있으니 괜찮습니다.
가족 여행을 즐겁고 신나는 일입니다.

나는 우리 가족들과 함께하는 가족 여행을 즐길 수 있습니다.

PARADISE
WELFARE FOUNDATION